NEW
서울대 선정 인문고전 60선

31
마르크스 자본론

NEW 서울대 선정 인문 고전 31

개정 1판 1쇄 발행 | 2019. 8. 21
개정 1판 3쇄 발행 | 2023. 2. 20

최성희 글 | 손영목 그림 | 손영운 기획

발행처 김영사 | 발행인 고세규
등록번호 제 406-2003-036호 | 등록일자 1979. 5. 17.
주소 경기도 파주시 문발로 197 (우10881)
전화 마케팅부 031-955-3100 | 편집부 031-955-3113~20 | 팩스 031-955-3111

값은 표지에 있습니다.
ISBN 978-89-349-9456-5
ISBN 978-89-349-9425-1 (세트)

좋은 독자가 좋은 책을 만듭니다. 김영사는 독자 여러분의 의견에 항상 귀 기울이고 있습니다.
전자우편 book@gimmyoung.com | 홈페이지 www.gimmyoungjr.com

이 도서의 국립중앙도서관 출판예정도서목록(CIP)은 서지정보유통지원시스템 홈페이지(http://seoji.nl.go.kr)와
국가자료종합목록시스템(http://www.nl.go.kr/kolisnet)에서 이용하실 수 있습니다. (CIP제어번호 : CIP2018042952)

어린이제품 안전특별법에 의한 표시사항

제품명 도서 제조년월일 2023년 2월 20일 제조사명 김영사 주소 10881 경기도 파주시 문발로 197
전화번호 031-955-3100 제조국명 대한민국 ⚠주의 책 모서리에 찍히거나 책장에 베이지 않게 조심하세요.

미래의 글로벌 리더들이 꼭 읽어야 할 인문고전을 만화로 만나다

주니어김영사

| 기획에 부쳐 |

〈NEW 서울대 선정 인문고전60〉이 국민 만화책이 되기를 바라며

제가 대여섯 살 때 동네 골목 어귀에 어린이들에게 만화책을 빌려주는 좌판 만화 대여소가 있었습니다. 땅바닥에 두터운 검정 비닐을 깔고 그 위에 아이들이 좋아하는 만화책을 늘어놓았는데, 1원을 내면 낡은 만화책 한 권을 빌릴 수 있었지요. 저는 그곳에서 만화책을 보면서 한글을 깨쳤고 책과의 인연을 맺었습니다.

초등학교 때는 용돈을 아껴서 책을 사서 읽었고, 중학교 때는 학교 도서 반장을 맡아 도서관에서 매일 밤 10시까지 있으면서 참 많은 책을 읽었습니다. 그 무렵 헤밍웨이의 《노인과 바다》를 손에 땀을 쥐며 읽으면서 인생에 대해 고민했고, 헤르만 헤세의 《수레바퀴 아래서》를 읽으며 사춘기의 심란한 마음을 달랬습니다. 김래성의 《청춘 극장》을 밤새워 읽는 바람에 다음 날 치르는 중간고사를 망치기도 했습니다.

당시 저의 꿈은 아주 큰 도서관을 운영하는 사람이 되어 온종일 책을 보면서 책을 쓰는 작가가 되는 것이었습니다. 나이가 들고 어느 정도 바라는 꿈을 이루었습니다. 큰 도서관은 아니지만 적당한 크기의 서점을 운영하고, 글을 쓰는 작가가 되었거든요. 저는 여기에 새로운 꿈을 하나 더 보탰습니다. 그것은 즐거운 마음과 힘찬 꿈을 가지게 해 주고, 나아가 자기 성찰을 도와주는 좋은 만화책을 만드는 일이었습니다. 이렇게 해서 만든 책이 바로 〈서울대 선정 인문고전〉입니다. 서울대학교 교수님들이 신입생과 청소년들이 꼭 읽어야 할 책으로 추천한 도서들 중에서 따로 60권을 골라 만화로 만든 것입니다. 인류 지성사의 금자탑이라고 할 수 있는 고전을 보기 편하고 이해하기 쉽도록 만화책으로 만드는 일은 쉬운 일은 아니었습니다. 약 4년 동안에 수십 명의 학교 선생님들과 전공 학자들이 원서의 내용을 정확하게 전달할 수 있도록 밑글을 쓰고, 수십 명의 만화가들이 고민에 고민을 거듭하면서 만화를 그려 60권의 책을 만들었습니다.

〈서울대 선정 인문고전〉이 완간되었을 무렵에 우리나라에 인문학 읽기 열풍이 불기 시작했습니다. 〈서울대 선정 인문고전〉은 인문학 열풍을 널리 퍼뜨리는 데 한몫을 하면서 독자들의 뜨거운 사랑과 관심을 받았습니다. 덕분에 지금까지 수백만 권이 팔리는 베스트셀러가 되었습니다. 그 사랑에 조금이나마 보답을 하기 위해 《칸트의 실천이성 비판》, 《미셸 푸코의 지식의 고고학》, 《이이의 성학집요》 등 우리가 꼭 읽어야 할 동서양의 고전 10권을 추가하여 만화로 만들었습니다.

〈서울대 선정 인문고전〉은 어린이와 청소년이 부모님과 함께 봐도 좋을 만화책입니다. 국민 배우, 국민 가수가 있듯이 〈서울대 선정 인문고전〉이 '국민 만화책'이 되길 큰마음으로 바랍니다.

손영운

자본주의에 대한 '반면교사(反面教師)'의 가르침

고전(古典)의 사전적인 의미를 찾아보면 '오랜 세월에 걸쳐 온갖 비평을 이겨 내고 남아서…… 시대를 초월한…… 일컫는다.' 라고 되어 있습니다. 마르크스의 《자본론》은 이런 정의에 딱 알맞은 책이지요.

《자본론》은 자본주의 경제(자본주의적 생산 양식)의 상품 생산과 교환, 분배가 이루어지는 원리를 경제학적으로 분석한 책입니다. 아울러 자본주의가 과잉 생산과 빈부 격차 등 치명적인 문제들로 인해 붕괴할 수밖에 없다는 비관적인 전망을 내놓았지요. 그래서 한쪽에서는 눈엣가시처럼 여기는 반면 또 한쪽에서는 정치, 경제의 불평등을 해결해 줄 성서와 같은 책이라고 극찬했습니다. 이렇게 《자본론》에 대한 극과 극의 평가는 정도의 차이는 있지만 지금도 계속되고 있습니다. 그러니 《자본론》이 청소년들이 꼭 읽어야 할 '인문 고전' 의 한 자리를 차지하기까지 얼마나 '오랜 세월에 걸쳐 온갖 비평을 이겨 냈을지' 충분히 짐작하고도 남음이 있지요.

그런데 마르크스가 '몰락은 역사적 필연' 이라고까지 했던 자본주의는 오늘날까지도 전 세계적으로 여전히 강력한 영향력을 행사하고 있습니다. 반면 마르크스가 자본주의를 대신할 새로운 세상이라고 보았던 공산주의는 역사에 등장한 지 채 백 년도 되지 않아 쇠퇴의 길을 걷고 있지요. 어찌 보면 《자본론》의 예측이 빗나간 셈인데요. 그럼에도

불구하고 《자본론》이 고전의 반열에 당당히 올라 있는 이유는 무엇일까요?

자본주의가 오늘날까지 건재해 있는 것은 그 체제가 완벽하기 때문이 아닙니다. 경제학의 아버지로 불리는 영국의 애덤 스미스가 자본주의의 미래에 대해 청사진을 내놓았지만, 현실의 자본주의는 수많은 위기와 난관에 직면해 왔지요. 그러면서 그것을 극복하고자 끊임없이 변신해 왔습니다.

이런 자본주의의 변신에 크나큰 자극이 된 책이 바로 《자본론》입니다. 마르크스가 살았던 당시 자본주의가 지닌 문제에 대해 《자본론》만큼 신랄하게 비판한 책은 없었습니다. 자본주의를 옹호하던 사람들은 마르크스와 《자본론》을 경계하면서도 한편으로는 그 비판을 '반면교사(反面教師)'의 가르침으로 삼았지요. 반면교사란 '사람이나 사물의 잘못된 모습 속에서도 긍정적인 가르침을 얻을 수 있다.'는 뜻입니다.

오늘날 우리에게도 《자본론》의 가르침은 유효합니다. 《자본론》을 통해 지금도 여전히 남아 있는 자본주의의 문제점을 진단하고 해결책을 찾아 더 나은 사회로 발전해 갈 수 있기 때문이지요. 그런 점에서 《자본론》을 시대를 초월하여 인류에게 가장 큰 영향을 끼친 고전으로 인정하는 것이라고 생각합니다.

마르크스의 《자본론》을 말하기에 많이 부족한 제가 앞선 사람들이 쌓아 놓은 지적 성과에 편승하여 여기까지 온 것은 아닌지 염려됩니다. 아울러 책을 쓰는 동안 불평 한마디 없이 모든 것을 이해해 준 남편과 딸에게 고마운 마음을 전합니다.

최성희

마르크스의 《자본론》과 함께 떠나는 경제학 여행

여러분은 《자본론》이 어떤 책인지 알고 있나요? '마르크스'에 대해서는요? 저는 《자본론》과 '마르크스'에 대해 모두 알고 있었어요. 너무 잘난 척하는 것 같다고요? 그래요. 사실 둘 다 이름만 들어봤지 자세히 알지는 못했어요. 예전에 호기심으로 《자본론》이라는 책을 펼쳤다가 '잉여 가치', '불변 자본', '가변 자본', '필요 노동 시간' 같은 낯선 용어들에 기가 죽어 미련 없이 덮어 버리고 말았거든요.

그래서 《자본론》을 여러분들이 읽기 쉬운 교양 만화로 만들어 보자는 이야기를 들었을 때 '그게 과연 가능할까?' 라는 의문이 들었답니다. 하지만 오랫동안 잊고 지냈던 호기심을 떠올려 보니 오히려 좋은 기회가 될 것 같았어요. 그래서 내친김에 서점으로 달려가 두툼한 《자본론》을 한 권 사들고 작업실에 와서 읽기 시작했지요. 장장 일주일을 정독하면서 《자본론》의 저자 마르크스가 어떤 이야기를 하려는지 어렴풋이 알 수 있었어요. 하지만 세세하게는 여전히 이해하지 못한 것들이 많았지요.

그러다 얼마 후 이 만화의 글을 써 주신 최성희 선생님의 원고를 받았어요. 그동안 어렴풋하게 머릿속을 맴돌던 궁금증들이 모두 해소되었지요. 너무나도 복잡하고 어려워서 선뜻 책장을 넘기기 힘든 《자본론》을 누구나 쉽고 재미있게 이해할 수 있도록 정리해 주셔서 그림을 그리는 저도 많은 도움을 받았답니다.

여러분들도 이 책을 통해, 그동안 궁금했지만 너무 어려워서 쉽게 접할 수 없었던 마

르크스의 《자본론》을 쉽고 재미있게 배울 수 있을 거예요. 하지만 그래도 너무 어렵다고 투정부리는 친구들에게는 이런 말을 해주고 싶어요.

"학문에는 지름길이 없다!"
"오직 피로를 두려워하지 않고 가파른 오솔길을 기어 올라가는 사람만이 학문의 빛나는 절정에 도달할 수 있다." – 마르크스의 《자본론》 서문 중에서–

마르크스의 말처럼 여러분도 어렵다고 포기하지 말고 힘을 내어 한 발 한 발 나아가다 보면 빛나는 결실을 맺을 수 있을 거예요.

그럼 지금부터 마르크스의 《자본론》과 함께 즐겁고 유익한 경제학 여행을 떠나 볼까요?

손영목

| 차 례 |

잉여
노동

제1장 《자본론》은 어떤 책일까?

머릿속에 소크라테스, 플라톤, 공자 같은 철학자나, 《성경》, 《논어》 같은 책 제목들이 스쳐 지나갈지 모르지만 모두 아니란다.

인류 최고의 철학자와 최고의 책이라는 두 타이틀을 모두 거머쥔 인물은 바로,

지금부터 함께 공부할 독일의 철학자이자 경제학자이며 사회학자인

카를 마르크스(Karl Marx : 1818~1883)야. 그리고 인류 역사상 최고의 책은

그가 쓴 《자본론》이란다.

재미있는 건 우리나라의 한 신문사에서도 학자들에게 비슷한 설문 조사를 했다고 해.

'우리 사회에 가장 많은 영향을 준 외국 책이 무엇이냐?' 라고.

이 조사에서 1위를 차지한 책도 '카를 마르크스' 가 쓴 《자본론》이었지.

그럼 이렇게 국내외를 막론하고 수많은 학자들이

'위대하다, 영향력이 크다' 고 인정한 《자본론》은 과연 어떤 책일까?

자, 궁금한 사람은 모두 《자본론》 강의실로 모여 줘.

여러분,
환영해요.

그럼
몸풀기, 아니
머리풀기
퀴즈를
풀어 볼까?
자본론 퀴즈열전!
와
와우

《자본론》은
무엇에 대해
쓴 책일까?
저요! 저요!

성은 '자'
이름은 '본론'
이라는 사람?
기발하긴 하지만 땡!
틀렸어.
켁!
휘청

《자본론》은 마르크스가 영국
자본주의 사회를 분석하여 1867년에
발표한 책이야.
샅샅이
파헤쳐 주마.
자본주의

그럼 다음 문제! 《자본론》은
총 몇 권으로 이루어져 있을까?
몇 권일까?

1권이오!
2권
아냐?
100권 아니,
200권!

아쉽지만
모두 땡!

총 3권이야. 그런데 마르크스는
1권만 발표하고
세상을 떠났단다.
안 돼!
더 써야
한다고!
어서
가세~.

그 뒤 그의 친구이자 사상적 동지이면서 평생
마르크스를 경제적으로 후원했던 엥겔스
(Friedrich Engels, 1820~1895)가
고맙다,
친구야.

마르크스가 남긴 원고를 바탕으로 2권, 3권을
완성해 출판했지.
1
2
3

자, 어때? 다들 맞혔니?
난 0점.

문제를 맞힌 사람에게
선생님이 별 한 개 쏠게!
짜잔

이제부터 이 책 곳곳에서 나오는
돌발 퀴즈를 맞히면 별을 쏠 거야!
호호호
탕
탕
탕

별을 모두 다 받으면?
참 잘했어요

'마르크스 박사' 라는 칭호를 부여하고 명예의 전당에
이름을 올려 줄 거란다!
이 영광을 마르크스에게 돌립니다.
짝짝 짝
짝 짝
마르크스 박사

그러니 모두 마르크스 박사에
도전해 보길 바라.
바로 도전하겠다고? 대환영이야!
짝 짝 짝

퀴즈를 못 맞혔다 해도 걱정할
필요는 없어.
어쩌지. 이 책 덮어 버릴까?

'《자본론》은 마르크스가
자본주의에 대해 쓴 책이다.' 라는
정도만 알아도 충분하니까.
자본론 = 마르크스가 쓴 책

그런데 '자본주의' 가 무엇인지 잘 모르겠다고?
자본주의

아마 어른들도 속시원하게 대답하지 못할 거야. 어려운
말이거든.
엄마한테 물어 봐라!
아빠한테 물어 보렴.

그래서 지금부터 마르크스가 쓴 《자본론》을 통해
자본주의가 무엇인지에 대해 공부할 거야.
자본론

그런데 본격적으로 공부하기에 앞서
알아 둘 게 하나 있어.
삐익

그것은 지금부터 우리가 배울 '자본주의'는
마르크스가 보는 '자본주의'라는 거야.
자본주의란!

다시 말해서 마르크스가 아닌 다른 사람들은 '자본주의'를
다르게 볼 수도 있다는 뜻이지.
자본주의?
자본주의는!
자본주의라면….
멍!

그만큼 자본주의는 복잡한 의미를 지니고 있어.

퀴즈로 머리도 식혔으니까
이제 모두 함께
'자본론의 세계'로
들어가 보자.
준비됐지?
재미있을
거야!

웰컴 투 《자본론》 월드!

자본론 월드

책을 읽기 전에 글을 쓴 작가의 의도를 알면 내용의 반은 이해했다고 해도 과언이 아니야.

따라서 마르크스가 《자본론》을 쓴 의도를 살펴보는 게 무엇보다 중요하지.
내가 왜 썼는지가 중요해, 암!

일명 《자본론》 탄생 스토리야.
짜잔~안
자본론

그럼 마르크스는 왜 《자본론》을 썼을까? 자본주의가 얼마나 좋은 제도인지 알리고 칭찬하려고?
대한 독립 아니니…
자본주의 만세!
자본
자본

틀렸어. 오히려 그 반대야. 자본주의는 문제가 너무 많아서 반드시 무너질 거라고 경고하기 위해서였지.
이 가짜, 꺼져!
뻥
만세~!

그러니 1867년에 이 책이 세상에 나왔을 때, 자본주의를 지지하는 사람들은 엄청 싫어했어.
너나 꺼져!
뻥
자본주의는 썩었다!

마르크스는 병으로 고생하고, 가난 때문에 고통 받으면서
질병
배고픔
가난
그래도 나는 쓴다.

매우 어렵게 《자본론》을 썼어.
이 책만 나오면 고생 끝이야!
아빠, 올 때 빵 사 와!

하지만 정작 출판된 뒤에는 언론의 주목을 받지 못하고, 생각보다 많이 팔리지도 않아서 무척 실망했다고 해.
자본론
베스트셀러

그러다가 엥겔스가 신문과 잡지 등에 《자본론》을 알리는 대대적인 글을 실어 홍보하자
중등논술대비 "자본론"
엥겔스가 추천한 책
매우 유익해요.
엥겔스 자본론 극찬
자본론

판매 부수가 조금씩 올라갔다고 해.
역시 나 없이는 아무것도 안 돼!
으쓱

그럼 도대체 자본주의가 어떤 문제를 가지고 있기에 마르크스는 《자본론》을 쓰면서까지
이거 아주 심각한걸.
자본주의

자본주의가 무너질 거라고 무시무시한 경고를 날린 것일까?
가까이 오지 마! 곧 무너질 거야.

이 의문에 대한 답을 찾으려면 먼저 《자본론》의 탄생 배경이 된 19세기 영국 사회를 들여다봐야 해.

그래서 지금부터 19세기 영국 속으로 시간 여행을 떠날 거야.

차비 걱정은 하지 말고 그냥 따라오기만 해.
벌써 다 왔네!
19세기

먼저 시 한 편을 읽어 볼까? '엄마가 돌아가셨을 때 저는 아주 어렸죠.

말도 잘 못하는 저를 아버지가 팔아 버렸어요.
아빠, 안녕!

그래서 굴뚝을 쑤시며

시꺼먼 숯검정 속에서 잠을 자요.'

이것은 영국의 윌리엄 블레이크가 쓴 〈굴뚝 청소부〉라는 시의 한 구절이야.

읽다 보면 누더기 옷을 입고 시커먼 재를 뒤집어쓴 채 뼈만 앙상하게 남은 소년의 눈망울이 떠올라.

'올리버 트위스트'처럼 작고 깡마른 소년의 모습을 떠올리면 마음이 아파서 눈시울이 붉어져.

시 속의 굴뚝은 시커먼 매연을
뿜어내는 공장의 굴뚝을 상징한단다.

이 시는 어린아이에게까지 노동을 강요했던 당시의 현실을 반영하고 있어.
그러면 대체 어린아이들까지 노동을 해야 했던 이유는 무엇일까?

체격이 작은 어린아이들은 좁은 굴뚝이나
탄광의 굴 속, 기계들 사이의 비좁은 틈새를
드나들게 하기가 쉬웠어.
어서 들어가!

게다가 아주 싸게
부려먹을 수 있었지.
딸랑

당시 영국에서는 광산이나 공장의
주인들이 8~9세, 심지어 그보다
더 어린아이들을 고용해
이력서
이름: 찰리
나이: 9세
이력서
이름: 안나
나이: 9세
이력서

광산의 작은 굴 안에서 석탄을
캐게 하거나 공장 기계 밑을 기어
다니면서 바닥의 면화 쓰레기를
줍게 하는 노동을

하루 14~16시간 가까이 시켰다는
기록이 남아 있어.
밥 먹고 잠자는 시간 외에는 계속 일만 한 거지.

어린아이들의 노동이 이 정도였으니
어른 노동자들의 상황이 어땠을지
짐작이 가지?

당시 한 양말 공장에서
일했던 어린 노동자의
고백을 들어 보자.

'나는 지난 월요일 새벽 2시에 일어나 거의
한밤중까지 일했다. 그리고 다음날 다시 아침
6시에 일어나 저녁 11~12시까지
일했다.

계속 이렇게 일한다면 나는
결국 죽게 될 것이다.'

또 당시 영국의 공장 주변에서 살았던 노동자들의 거주 환경에 대한 보고서를 살펴보자.

이 기록을 보면 당시 노동자들의 생활 환경이 어땠는지 알겠지?

새벽에 일어나 빵 한 조각으로 배고픔을 달래고,

*감정 이입 – 자연이나 예술 작품 등에 자신의 감정이나 정신을 불어넣는 일. 또는 대상에게서 직접 느낌을 받아들여 서로 통한다고 느끼는 일.

그런 현실을 보면 대체 " '빈부 격차*' 는 왜 생기는 것일까?" 라는 의문이 들게 마련이지.

*빈부 격차 – 부자와 가난한 사람의 서로 다른 정도.

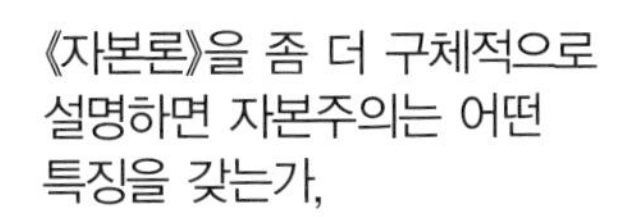

자본주의 경제의 문제점은 무엇인가를
과학적으로 파헤친 '마르크스표 경제학'
을 대표하는 책이라고 할 수 있지.

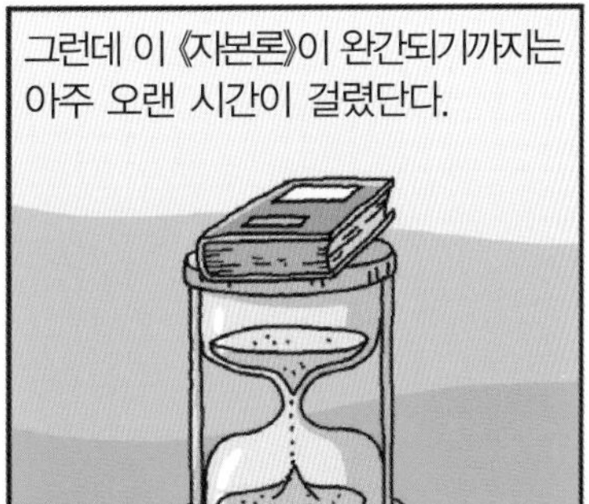

마르크스는 프랑스에서 노동자들의 혁명 운동을 돕다가
실패하자 정부에서 추방당해 영국으로 쫓겨 갔어.

그 뒤 1850년 경부터 대영 박물관 열람실에서
경제학을 연구하기 시작했지. 마르크스는
경제학에 대한 수많은 학자들의 책을 읽고,

노동자들의 비참한 생활을 기록한 각종
통계와 보고서들을 읽으면서

1859년 《자본론》의 설계도격인
《정치경제학 비판을 위하여》라는
책을 발표했어.
내가 형이야.
네, 형님.
자본론
정치경제학

그 후로도 10년 넘게
《자본론》을 쓰고 고치는 과정을
수없이 반복했단다.

마르크스는 그 10여 년 동안 건강이 나빠져 펜을
움직일 수 없을 정도로 신체적인 고통에 시달리는가 하면
손이 떨려서 글씨를 못 쓰겠어.

자식이 죽었는데도 관을 살 형편이 안 돼 돈을 꿀 정도로
극심한 경제난에 처했어.
관을 살 돈조차 없다니 내 딸아~!

출판사에 원고 보낼 돈조차 없어
친구 엥겔스가 돈을 보내 줄 때까지
기다려야 했지.
으아아아~
원고 보낼 돈이 없어!

그런 우여곡절 끝에 1867년 4월,
《자본론》 1권을 출간한 거야.
겨우겨우 태어났네.

《자본론》이 세상에 나오자
10년이면 강산도 변한다던데.
우리 변한 것 봐.

마르크스는 '산고를 겪은 뒤 귀한 생명을
얻은 산모의 기쁨과 같다.'는 소감을 밝혔어.
아이고~, 내 새끼.
쪽

마르크스는 2권, 3권의 집필에도 온 힘을 쏟았지만
안타깝게도 생전에 완성하지 못했지.
1권
콰~당

엥겔스가 27년 동안 노력한 결과 《자본론》 세 권이 모두 세상의 빛을 보게 된 거지.

그런데 엥겔스는 《자본론》 세 권이 출판되자 의무를 다했다는 듯, 1895년에 세상을 떠났어.

거기는 좀 살 만한가?

그럭 저럭.

1권은 '자본의 생산 과정'이라는 제목이 붙어 있는데, 잉여 가치가 어떻게 만들어져서 자본으로 축적되는지를 다뤄.

자본론 I

마르크스

자본

*원전 – 기준이 되는 본디의 고전.

그러니 안심하라고~.
다행이다. 나만 모르는 줄 알았어.
나도 몰랐어.
나도.

그런데 세상에 나온 《자본론》은 극과 극의 평가를 받게 돼.
자본론
자본론

자본주의를 칭찬하기 위해서가 아니라 비판하기 위해 쓴 책이니만큼
몇 번을 말해야 알겠니? 자본주의는 무너질 거야.

자본가들이나 자본주의를 지지하는 경제학자들은 당연히
이런 정신 나간….
자본론
자본론

쓰레기통에 던져 버려야 할 책이라고 분노했어.
이따위 책은 버려.
자본론

반면 새로운 세상을 꿈꾸는 공산주의자들은 빛과 같은 책이라며 최고의 찬사를 아끼지 않았지.
자본론 님.
자본론
우리를 구원해 주십시오!
넙~죽

하지만 《자본론》을 처음 공부하는 여러분들은 어느 한쪽에 치우치지 말고
이리 와.
아니, 이쪽!

균형 감각을 유지하면서 공부하도록 하자. 알았지?
네!

그런데 너희들 뭐하니?
웅성 웅성

균형 감각을 가지라면서요.
그래서 균형을 잡고 있어요.
쿵

제2장
19세기 유럽에서
마르크스를 만나다
100

여러분이 혹시라도 '마르크스'에 대해 궁금해서 어른들에게 물어 본다면
엄마, 아빠 마르크스가 어떤 사람이에요?

아마 놀라며 선뜻 대답을 못할지도 몰라.
그게 왜 궁금하니?
마르크스를 대체 어디서 들었을까?

엄마, 아빠도 잘 몰라서 그러시는 거라고?
미안. 아빠도 잘 몰라.

물론 그 말이 맞을 수도 있지만 꼭 그렇지는 않아.

사실 선생님도 마르크스에 대해 이렇게 편하게 이야기할 날이 올 줄은 몰랐어. 사자성어로 표현하면…
뭐가 있을까?

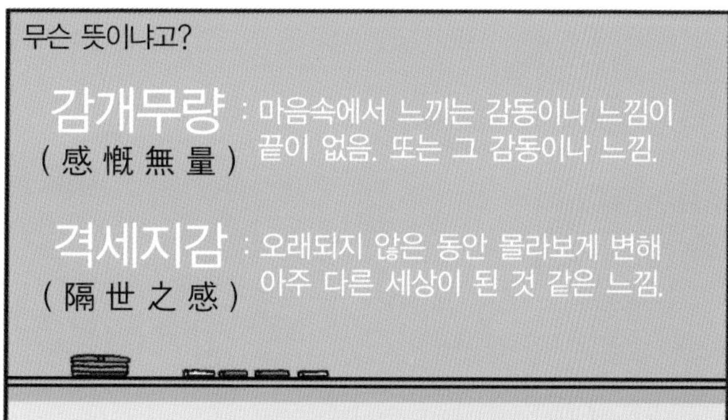

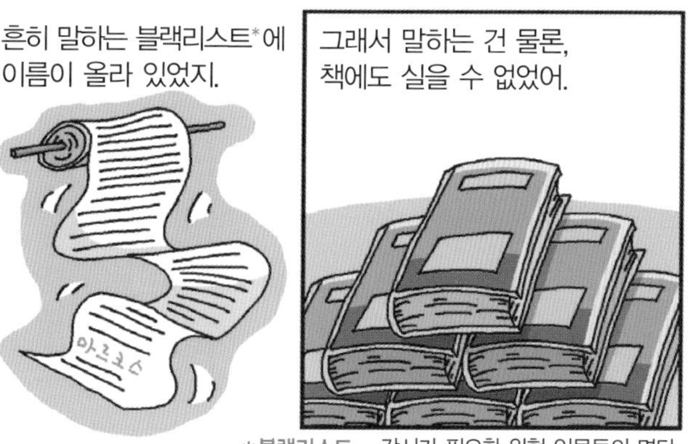

*블랙리스트 – 감시가 필요한 위험 인물들의 명단.

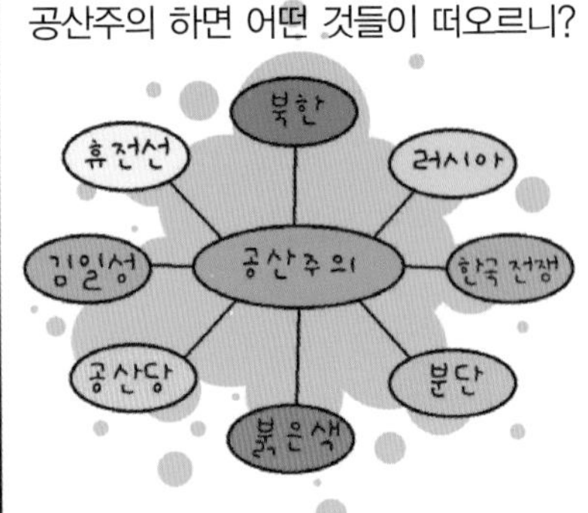

그러니 자본주의 체제에 속한 우리나라에서 공산주의자인 마르크스는 '위험 인물', 《자본론》은 '금서' 가 될 수밖에 없었던 거지.

WANTED
이름 : 마르크스
죄목 : 공산주의자

그런데 아쉽지만 이 질문은
마음 속에 꼭 담아 두자.

여기는 마르크스가 《자본론》을 쓰고 세상을 떠난 영국이야.

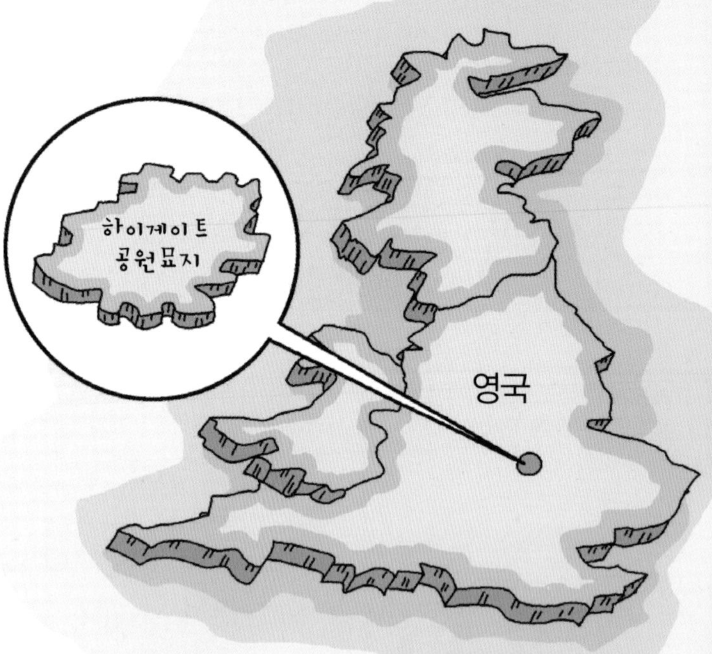

그 중에서도 마르크스가 고이 잠들어 있는
런던 북부 하이게이트 공원 묘지란다.

그런 맥락에서 보면 마더 테레사
수녀님의 묘비명은 이런 내용이
아닐까?
마더 테레사
(1910~1997)

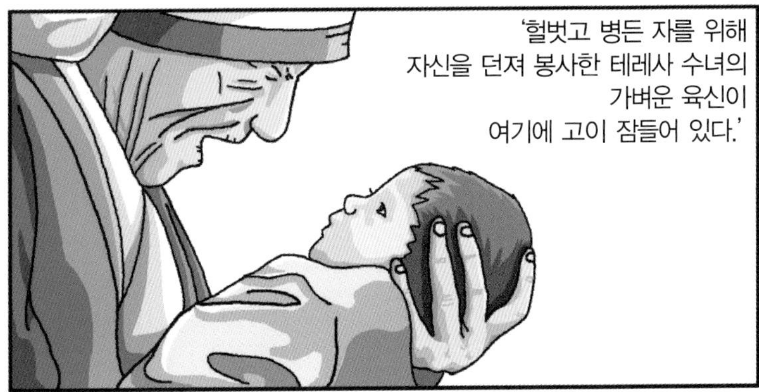
'헐벗고 병든 자를 위해
자신을 던져 봉사한 테레사 수녀의
가벼운 육신이
여기에 고이 잠들어 있다.'

그럼 '나를 둘러싸고 있는 것 중에서 살펴보면 볼수록
감탄할 수밖에 없는 것이 두 가지 있다. 한 가지는
별이 총총 떠 있는 하늘이고,

다른 한 가지는 내 마음속에 늘
살아 있는 양심이다.
이를 통해서 나는 살아 있음을
느낀다.' 라는 묘비명의
주인공은 누구일까?

바로 독일의 철학자 칸트란다.
이마누엘 칸트
(1724~1804)

'천재는 1%의 영감과 99%의 노력으로
이루어진다.' 고 말한 발명가 에디슨의
묘비명은 무엇일까?
토머스 에디슨
(1847~1931)

'상상력, 큰 희망, 굳은 의지는
우리를 성공으로 이끌 것이다.'
라는 거야.
상상력
희망
의지

어때? 묘비명을
보니까 어떤 인생을
살았는지 단박에
알 수 있겠지.

그럼 런던 하이게이트 공동묘지 동쪽에 위치한
마르크스의 묘비에는 어떤 글이 새겨져
있을까?
WORKERS OF ALL LANDS
UNITE

바로 이렇게 쓰여 있단다.

이 묘비명을 보면 마르크스는 노동자의 입장에 서서 세상을 변화시키는 삶을 살고자 했다는 것을 알 수 있지.

마르크스를 만나러 가는 여행길에 맨 먼저 묘지를 찾은 이유를 알겠지? 그럼 본격적인 여행을 시작해 볼까?

여행 갈 때 꼭 챙겨야 할 중요한 것을 빠뜨릴 뻔했어.

이번 여행을 성공적으로 마치기 위한 필수품!

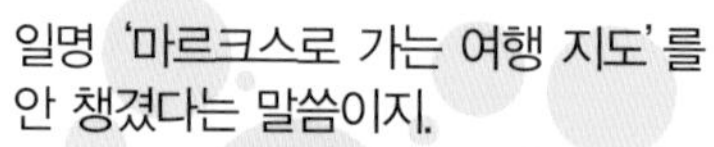

어디에 가서 무엇을 보고 무엇을 들을 것인가를 알려 주는

일명 '마르크스로 가는 여행 지도'를 안 챙겼다는 말씀이지.

그게 어디 있냐고? 지금부터 여러분의 머릿속에 하나하나 그려 가야 해.

어떤 시인이 이런 멋진 말로 자신의
인생을 표현했어.
나를 키운 것은 80%가 바람이었다.

그렇다면 마르크스를 키운 것은
무엇이었을까?

그것은 바로 19세기의
유럽이었다고 말할 수 있어.
쪽 쪽
19세기 유럽

왜냐하면 19세기 유럽은 19세기 이전의 모든 역사를
합친 것보다 더 큰 변화를 겪었던 시기거든.
1~18 세기 역사
19 세기 역사

즉 시민 혁명, 산업 혁명, 공산주의 등장 등
엄청난 변화의 물결이
시민혁명
산업혁명
공산주의

전 유럽을 강타하던 격동의
시기였지.

그러니 당시 유럽의 한 국가인
독일에서 태어나
프로이센 또는 프러시아라고도 불렸지.
프러시아

프랑스, 영국, 브뤼셀 등을
전전하며 살았던 마르크스가
프랑스
영국
브뤼셀

어떻게 그런 변화의 바람 속에서 자유로울 수 있었겠어?

사람이 환경의 영향에서 벗어날 수 없는 존재라는 걸
생각해 보면 알 수 있잖아.

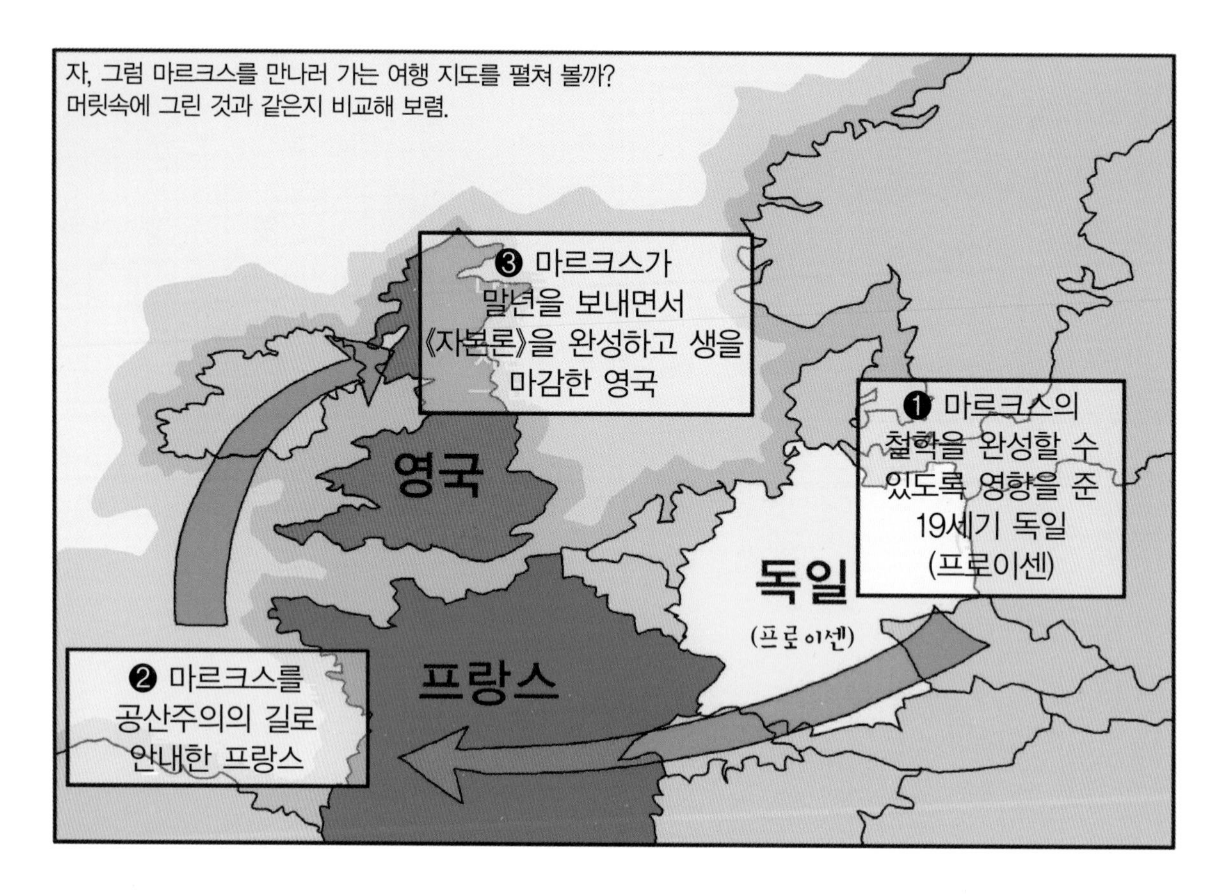

자, 그럼 마르크스를 만나러 가는 여행 지도를 펼쳐 볼까?
머릿속에 그린 것과 같은지 비교해 보렴.
❸ 마르크스가 말년을 보내면서 《자본론》을 완성하고 생을 마감한 영국
❶ 마르크스의 철학을 완성할 수 있도록 영향을 준 19세기 독일 (프로이센)
영국
독일
(프로이센)
❷ 마르크스를 공산주의의 길로 안내한 프랑스
프랑스

그럼 이 나라들에서 무엇을 보고 듣고 배울 건지 떠올려 보자.
여러분 머릿속에 말이야.

먼저 독일에서는 베를린 대학에 들러 청년 마르크스를 만날 거야. 변증법적 유물론이라는 강의를 들을 예정이지.

프랑스 파리에서는 공산주의에 대한 마르크스의 열강을 들을 거야.

운이 좋다면 혁명에 가담했던 시민군들을 볼 수 있을지도 몰라.

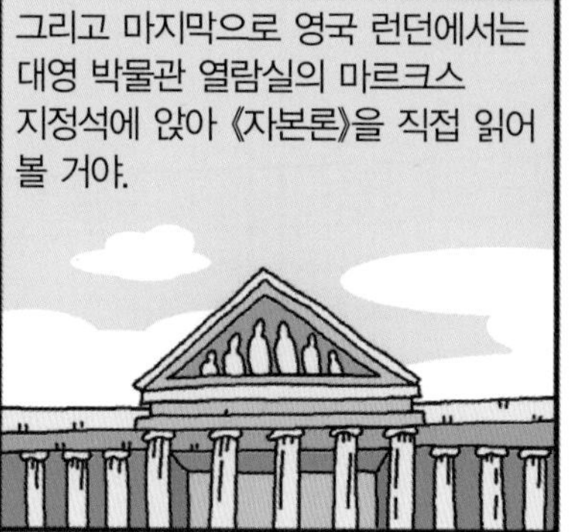

그리고 마지막으로 영국 런던에서는 대영 박물관 열람실의 마르크스 지정석에 앉아 《자본론》을 직접 읽어 볼 거야.

운이 더 좋으면 마르크스에게 《자본론》 강의를 직접 들을 수도 있고!
《자본론》이란?

변증법
유물론
자본론
공산주의
무슨 말인지 모르겠어요!

걱정 마. 여행에서 돌아올 때쯤이면 이 말들이 머릿속에 콕콕 박혀서 입 밖으로 술술 나오게 될 테니까.
하늘 천 땅 지 자본론은 물론,
술
술
변증법, 공산주의~.

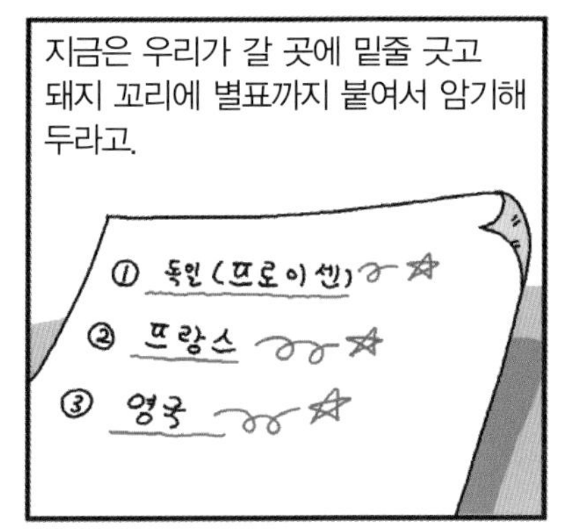
지금은 우리가 갈 곳에 밑줄 긋고 돼지 꼬리에 별표까지 붙여서 암기해 두라고.
① 독일(프로이센)
② 프랑스
③ 영국

자, 이곳은 마르크스가 태어난 19세기의 독일 즉 프로이센이야.

저기 유유히 흐르는 작은 강 보이지? 독일과 룩셈부르크의 경계를 흐르는 모젤 강인데

마르크스는 모젤 강변에 위치한 라인 주의 작은 도시 트리어에서 태어났어.
카를 하인리히 마르크스
1818년 5월 5일
출생

모젤은 독일을 대표하는 포도주 생산지로도 아주 유명해.

일명 모젤 포도주라고 하는데 우리나라에서도 수입하고 있지.

부모님께 독일 포도주에 대해 아는 척하면서 폼잡아 보라고 알려 주는 거야.
포도주 하면 역시 모젤이죠.
저 녀석 벌써부터 술을….

마르크스의 아버지인 하인리히 마르크스는 변호사 출신이었어.

난 마르크스의 아버지일세.

*개종 – 믿던 종교를 바꾸어 다른 종교를 믿음.

하지만 자식들이 모두 부모 뜻대로 자라는 게 아니듯이,

마르크스는 강의실에 거의 나타나지 않을 정도로 공부는 뒷전으로 한 채

당시 베를린 대학을 휩쓸던 '헤겔 철학'에 깊이 빠져 들었지.

그러던 중 마르크스가 20살이던 1838년에 아버지가 세상을 떠났어.

집에서 보내 주던 용돈마저 끊기자 마르크스는 하기 싫은 법학 공부에서 완전히 손을 뗐어.

그런데 헤겔 철학은 훗날 마르크스를 혁명가라는 험난한 가시밭길로 이끌었지.

하지만 그 길을 간 건 누구의 강요도 아닌 마르크스 자신의 선택이었어.

그렇다면 청년 마르크스는 왜 헤겔 철학에 깊이 빠졌던 걸까?

헤겔 철학

독일을 대표하는 철학자 헤겔은 마르크스가 태어난 1818년에 베를린 대학의 교수를 지냈어.

헤겔은 세상의 모든 것, 즉 인간도, 자연도, 사회도, 그 어떤 것도 고정불변*이 아니라 갈등과 대립을 극복하면서 끊임없이 변화한다고 보았어. 이것을 '변증법'이라고 하지.

당시 억압적이었던 프로이센 정부를 비판하면서 세상을 변화시키는 일에 열정적이었던 마르크스에게

이 변증법은 무척 매력적인 철학이었던 거야.

*고정불변 – 고정되어 변함이 없음.

당시 베를린 대학의 젊은 청년들과
독일 철학자들은 헤겔 철학을
중심으로

그를 지지하는 파와 반대하는 파
둘로만 나뉘었다고 해도 과언이
아닐 만큼 헤겔의 영향력은 대단했지.
헤겔파
반헤겔파

그런데 헤겔에게 아주 큰 영향을
끼쳤던 철학자 칸트는
이마누엘
칸트
1724~1804

종교와 과학의 선을 분명하게 그었던 반면
신의 존재를 가정할 수 있지만
그 어떤 논리와 체계로도 신을 증명할 수 없다.
종교
과학

헤겔은
신과 같은 절대적이고 정신적인 존재가 분명히 있다!
과학
절대정신

그리고 절대정신이 이 세상의 모든 변화와 발전을 이끌고 결정한다.

이렇게 주장하면서 발전하고 변화해 가는 현실은,
절대정신의 존재를 증명하는 것이라고 주장했단다.
이번엔 여기를 발전시켜 볼까.

절대정신이 모든 것을 변화시키고 발전시켰다면….

농민들을 억압하고 자신들의 배만
불리는 왕과 귀족들이 우글거리는
프로이센 정부도

절대정신의 작품이니까 마냥 순종하고 인정해야 하는 걸까?

반항 청년 마르크스는 그런 헤겔 철학을 받아들일 수 없었어.
이게 말이 돼?
철퍽
헤겔

절대적이고 정신적인 존재가 세상을 이끌어 간다는 것도 마음에 들지 않는데
넌 뭐야?
내가 절대… 으악!

현실의 프로이센 정부를 옹호하는 듯한 논리는 더더군다나 받아들일 수 없었지.
결사 반대

그래서 헤겔의 '변증법'은 인정했지만 절대 정신이 세상의 모든 변화를 이끌어 간다는 주장은 단호하게 거부했던 거야.
말도 안 돼!

마르크스는 자신처럼 헤겔 철학의 일부를 반대하는 사람들의 모임인 헤겔 좌파의 일원이 되어,
헤겔 관념론 반대
나도 껴 줘!
절대정신 반대

세상은 정신이 아니라 물질이 변화시켜 가는 것이고
물질
정
신

물질이 있어야 정신도 있다는 주장을 펼쳤어.
그게 바로 유물론!
유물론

절대정신을 강조한 헤겔 철학을 거꾸로 뒤집은 셈이지.
엽

어쨌든 마르크스는 헤겔 철학을 통해서 세상은 끊임없이 발전한다는 '변증법'과

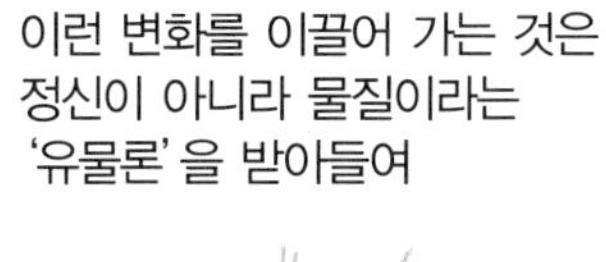

이런 변화를 이끌어 가는 것은 정신이 아니라 물질이라는 '유물론'을 받아들여

세상을 바라보는 자신만의 관점과 철학을 형성하며 청년기를 보냈단다.

*폐간 – 신문, 잡지 등의 간행을 폐지함.

**인고 – 괴로움을 참음.

자, 이제 우리도 독일에서 쫓겨나 파리로 간
마르크스와 예니를 따라 두 번째 나라 프랑스로
가 볼까?

프랑스

19세기 당시 파리는 1789년 프랑스 대혁명에서 시작된 혁명의 열기가 절정에 달해 있던 도시였어.

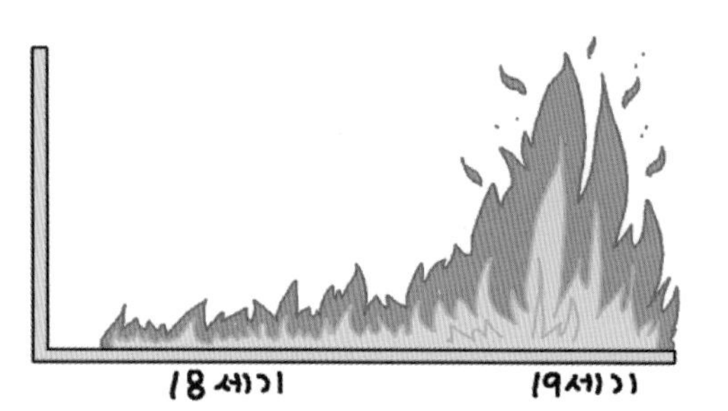

*양분 – 둘로 나눔. **사유 재산 제도 – 개인의 재산 소유를 인정하는 제도.

아마 그런 엥겔스가 없었다면
마르크스의 인생은
미완성이었을지도 몰라.

1845년 마르크스에게는 파리 생활을 마감해야 할 시간이 점점 다가오고 있었어.

째깍 째깍

독일

영국

파리

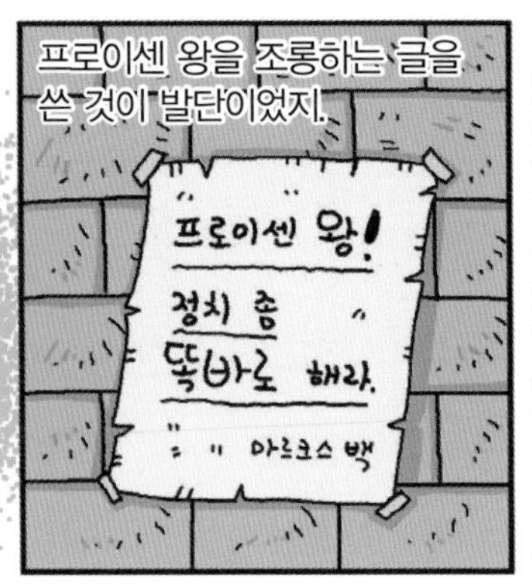

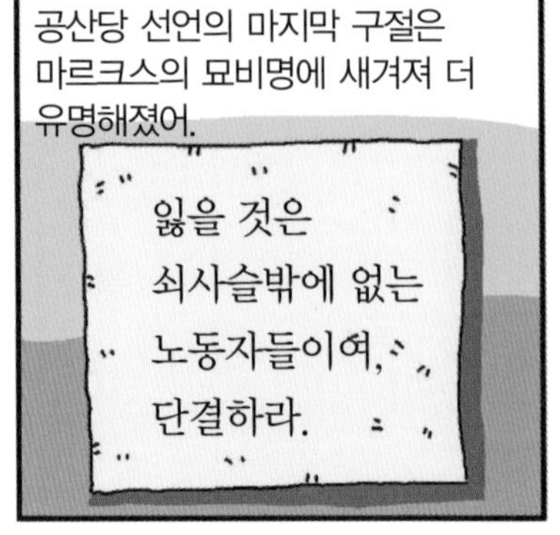

*무장 혁명 – 무기를 들고 싸워 이겨 혁명을 이루어 내는 것.

영국 런던! 드디어 우리 여행의 마지막 목적지에 도착했네!

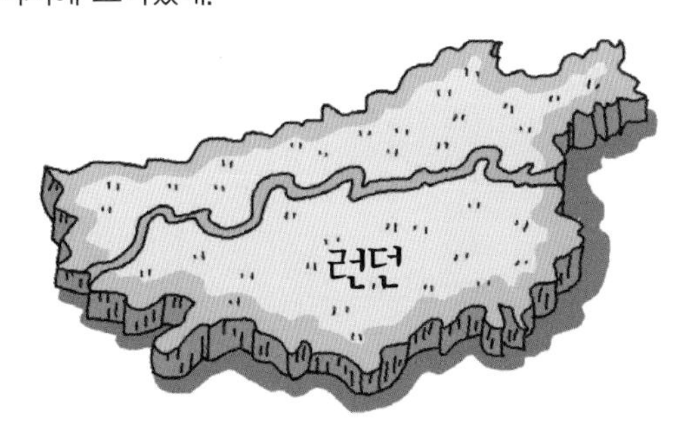

동분서주*하는 이 혁명가를 한시라도 빨리
만나고 싶다고?

*동분서주 – 동쪽으로 뛰고 서쪽으로 뛴다는 뜻으로, 이리저리 바쁘게 돌아다님을 이르는 말.

런던 빈민가의 방 두 칸짜리 초라한 집에서

아이들은 몰려온 빚쟁이들에게 거짓말을 해야 했어.
마르크스 선생님은 집에 안 계세요!

마르크스는 말 그대로 가난한 노동자 같은 신세가 되어 빚쟁이들을 피해 도망다녔지.

급기야 가재도구와 옷가지를 팔아 생계를 유지해야 했어.
옷이오.

전당포에 외투를 맡기는 바람에 입고 나갈 옷이 없었던 적도 있었고,
원고 다 썼는데 옷이 없어 밖에 나갈 수가 없잖아!
덜덜

글 쓸 종이를 못 사 원고를 못 쓴 적이 있을 정도라고 하니
종이가 없어서 원고를 못 쓰겠어!

마르크스가 엥겔스에게 어려운 사정을 털어놓은 마음이 이해가 돼.
이 지옥 같은 시간을 벗어날 수 있을까?
내가 도와줄게.

마르크스는 엥겔스의 도움으로
유-후

가난한 형편이었지만 딸들의 음악과 연극 레슨비를 지불할 수 있었어.

부르주아 같이 고상한 품위를 유지하는 데에도 돈을 쓸 수 있었지.
자, 여기 팁!

하지만 돈이 떨어지면 또다시 추위에 떨어야 했어.
오들 오들

그런 경제적 고통에 시달리던 마르크스에게 대영 박물관 열람실은 일종의 탈출구였을 거야.
여기만 오면 정말 행복해.

마르크스는 이곳에서 자본주의가 어떤 체제인지 파헤쳐 갔어.
도대체 정체가 뭐야!
자본주의

그는 '눈물 젖은 빵을 먹어 보지 않은 자, 인생을 논하지 말라!' 는 절실한 심정이었지.

영국은 산업 혁명으로 산업이 가장 발달한 나라였어. 그로 인해 자본주의도 가장 발달했지.

뿐만 아니라 쟁쟁한 경제학자들도 여럿 배출한 경제학의 중심지이기도 했어.
애덤 스미스
데이비드 리카도
카를 마르크스

마르크스는 그렇게 자본주의에 충실한 국가에서 자본주의를 비판하기 위한 연구에 몰두했던 거야.
경제학 이론
노동자들의 노동 조건

그러고는 자신만의 경제학이라 할 수 있는 정치 경제학을 수립했지.
정치 경제학
우뚝

그것은 당시 유행하던 경제학들과 차별화된 마르크스표 경제학이었어.
경제학
마르크스표

그리고 《정치 경제학》을 토대로 출판된 책이 바로 《자본론》이지.
내가 이제 제1권을 내놓는 이 책은
1859년에 발간된 나의 책 《정치 경제학 비판》의
계속이다.
첫 부분이 항상 어렵다는 것은 어느 과학에서나
마찬가지이다. 그러므로 여기에서도 제1장
발달한 신체는 신체의 세포보다 연구하기가 쉽기
때문이다. 경제적 형태의 분석에는 현미경도 시약도
소용없고 추상력이 이것을 대신하지 않으면 안된다
그런데 부르주아 사회에서는 노동 생산물의 상품

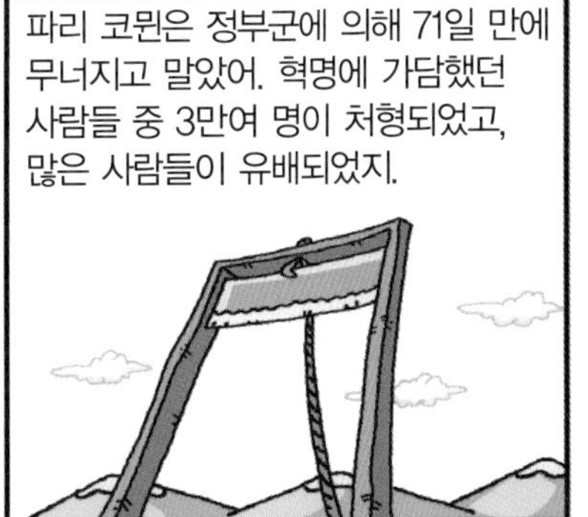

＊봉기 – 벌떼처럼 세차게 일어남.

그런데 파리 코뮌이 실패로 끝나자, 노동자들의 혁명을 이끌던 국제 노동자 협회의 실질적 지도자 마르크스에 대한 거센 비판이 일었어.
왜…
왜들 그래?

국제 노동자 협회는 워낙 다양한 혁명가들로 이루어진 노동자 단체여서 내부 갈등이 심했는데,

잘 나갈 때는 잠잠하다가 파리 코뮌이 실패로 끝나자, 반대파들이 주도권을 잡으려 했던 거지.

마르크스는 반대파들을 가까스로 몰아내고
휘이~
휘이~

국제 노동자 협회의 주도권을 되찾았어.

하지만 그 모든 과정에 지치고 실망하여
휴~우

결국 국제 노동자 협회에서 서서히 손을 떼기 시작했어.
국제 노동자 협회
그만 할래.

그 뒤 세력이 급격히 약해진 이 단체는 1876년에 결국 해체되어 버렸지.
국제 노
동자 협회

마르크스는 국제 노동자 협회가 해체된 1876년부터 죽을 때까지
대외적인 활동에서 한발 물러나 살았어.

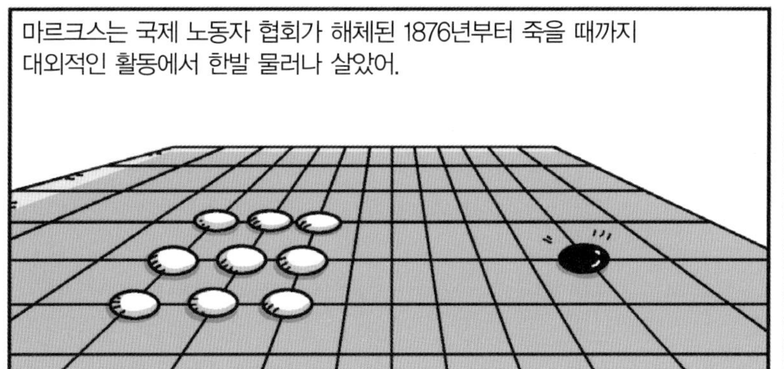

말년에는 만성 우울증과 불면증,
늑막염 등 온갖 질병에 시달리며
몸이 급속도로 쇠약해졌지.

그래서 대부분의 시간을 독서와
휴양, 학습을 하며 보냈단다.

그 사이 공산주의 사상은 영국을 건너
러시아까지 번져 갔어.

독일에서는 노동자들의 정당인
독일 사회주의 노동당이 수립되었지.

이따금 유럽의 많은 공산주의
활동가들이 마르크스를 찾아와
조언을 구하기도 했어.

요양 중이던 마르크스는 1881년
아내 예니가 세상을 떠날 때 병석에
누워 있어서 장례식에 참석하지도
못했어.

큰딸의 죽음도 큰 충격이었지.

1883년 3월 14일,
마르크스는 65세의 나이에
폐종양으로 세상을 떠났어.

그의 장례는 분신과도 같았던 친구 엥겔스가
손수 치러 주었지.

이제 여행을
끝내야 할 시간이네.
돌아오는 발걸음이
그리 가볍지는
않지?
여러분은 마르크스를
어떤 인물로
평가했을지 궁금해.

억압받는 노동자 계급을 도와 공산주의 사회를
실현하고자 활동했던 혁명가이자,

변증법과 유물론으로 세상을 해석한
철학자였으며,
변증법
유물론

자본주의를 분석한 경제학자이면서

20세기에 공산주의 국가들의
탄생에 영향을 미친 공산주의
사상가.

물론 이렇게 한두 마디로 평가 내리긴
어려울 거야.
경제학자?!
철학자?!

세월이 흐르면서 더 다양한
평가들이 나올 수도 있지.
계속
바뀌는 거지.

그러나 분명한 건
마르크스가 철학으로 세상을
변화시킨 실천가였다는 거야.
WORKER OF ALL LANDS
UNITE

북한과 여전히 대립 관계에 있는
우리나라에서

공산주의자인
마르크스를
객관적으로
바라보기란 힘든
일이야.

그래서 오랫동안 위험 인물의 명단에
들어 있었잖아.
위험인물

그렇다면 왜 지금은 마르크스를 자유롭게 이야기하냐고?
마르크스가
자본론은….

이것이 우리가 처음 여행을 시작할 때 품었던 질문인데, 기억나지?

모두가 자유롭고 평등하게 살기 위해 세운
부르주아
프롤레타리아

공산주의 국가들이 오히려 국민을 억압하고 빈곤에 허덕이다가 20세기 말 도미노처럼 하나둘 무너져 내렸어.

마르크스가 무너질 거라 예상했던 자본주의 국가들은
곧 무너져.
주의

비록 위기를 겪어 휘청거리긴 했지만 여전히 번영을 누리며 굳건히 잘 버티는데
쑥
쑥
엉?

자유와 평등이 보장될 거라던 공산주의 국가들은 오히려 많은 문제들을 야기하며 무너져 버린 거지.
이런!
공산주의

그러다 보니 현실에서 공산주의와 경쟁해 승리한 자본주의 국가들은

마르크스와 그가 쓴 책들에 대해 너그러운 태도를 취할 수 있었던 거야.
경쟁에서 이긴 자의 여유라고나 할까?
으쓱

이제 궁금증이 해결되었지?
마르크스와 《자본론》에 대한 평가는 강의가 끝난 뒤에 해도 늦지 않으니까 곰곰이 생각해 봐.

그럼 다음 강의에서 만나.
3장

변증법적 유물론

변증법적 유물론은 마르크스가 19세기 독일 철학자 헤겔(Friedrich Hegel, 1770~1831)의 변증법과 포이어바흐(Ludwig Feuerbach, 1804~1872)의 유물론을 비판적으로 수용해 사회와 역사가 어떻게 변화하고 발전해 가는지를 설명한 철학입니다. 그럼 각각의 개념을 살펴볼까요?

▲ 게오르크 빌헬름 프리드리히 헤겔

헤겔의 변증법

헤겔의 변증법(辨證法: dialectic)은 사람, 자연, 사회, 역사 등 세상에 존재하는 모든 것이 정(正) · 반(反) · 합(合) 3단계를 거쳐 끊임없이 새롭게 발전해 간다는 철학입니다.

도토리 열매가 떡갈나무로 성장해 가는 과정을 변증법으로 설명해 보면 다음과 같습니다.

도토리 안에는 도토리로 계속 남아 있고 싶어 하는 정(正)의 성질과 도토리에서 자라 떡갈나무가 되고자 하는 반(反)의 성질, 즉 서로 반대되는 모순(矛盾)된 성질이 모두 들어 있습니다. 이렇게 모순된 두 성질 정과 반은 서로 다른 성질이기 때문에 당연히 대립과 갈등을 일으킵니다. "난 그냥 도토리로 있을래."와 "아니야. 떡갈나무가 될 거야."라는 갈등이 도토리 안에서 치열하게 벌어진다는 것이지요. 이런 갈등을 '모순된 성질로 인해 생기는 대립과 갈등' 이라고 합니다. 이 대립과 갈등에서 떡갈나무가 되고자 하는 반(反)의 성질이 도토리로 남아 있고자 하는 정(正)의 성질을 이기고 '떡갈나무' 라는 새로운 모습의 합(合)으로 나타납니다. 그럼으로써 도토리는 떡갈나무로 성장하고 발전하게 되지요.

도토리의 예에서 알 수 있듯이 변증법은, 세상에 존재하는 모든 것은 서로 반대되는 성질인 모순을 가지고 있다고 봅니다. 그리고 모순을 알아차리지 못하는 정(正)의 단계에서 모순이 밖으로 나오는 반(反)의 단계를 거쳐 정(正)과 반(反)의 대립과 갈등이 절정에 달하는 투쟁을 거치면, 모순이 종합되는 제3의 단계인 합(合)에 도달해 이전과는 전혀 다른 새로운 변화와 발전을 이루어 나간다는 것입니다.

그런데 헤겔은 이 세상을 변화, 발전시키는 주체가 세계 밖에 존재하는 '절대정신' 이라고 보았습니다. 즉 신과 같은 절대정신이 있다고 보는 유신론과, 정신이 물질을 이끌어 간다는 관념론에 근거해 변증법을 설명했지요.

포이어바흐의 유물론

포이어바흐의 유물론은 물질이 세계를 구성하고 지배하며 이끌어 간다는 철학입니다. 유물론은 인간의 정신도 물질로 된 뇌(腦)의 작용에 불과하므로, '뇌' 라는 물질이 없다면 정신의 작용도 일어나지 않는다고 봅니다. 물질이 정신보다 더 근본적이고 세상을 변화시키는 원인인 것이지요.

이것은 정신이 물질 세계를 이끌어 간다는 헤겔의 관념론에 정면으로 맞서는 사상이었습니다. 그래서 포이어바흐를, 헤겔의 관념론적 변증법을 유물론적 변증법으로 뒤집어 마르크스에게 건네 준 철학자라고 말하기도 합니다.

▲ 루트비히 포이어바흐

자본주의, 사회주의, 공산주의

마르크스는 인간의 역사가 자본주의, 사회주의, 공산주의로 발전해 간다고 보았습니다. 그중 공산주의는 역사 발전의 최종 단계이지요. 그럼 마르크스가 각각의 사회를 어떻게 바라봤는지 구체적으로 살펴볼까요?

자본주의

18세기 중엽 산업 혁명에서부터 오늘날에 이르기까지 가장 큰 영향력을 행사하는 경제 제도가 자본주의입니다. 자본주의를 하나로 정의내리기는 어렵지만, 경제 관점에서 보면 개인의 생산 수단 소유를 허용하고, 시장 경제의 원리에 의해 경제 활동이 이루어지는 자유주의 경제 체제를 의미합니다.

자본주의를 가장 먼저 경제적인 관점에서 분석한 사람은 영국의 애덤 스미스(Adam Smith, 1723~1790)입니다. 애덤 스미스는 국가가 경제 활동에 어떤 간섭도 하지 말고 '자유방임'* 하면 '보이지 않는 손' 인 시장의 경쟁 원리가 생산과 교환, 소비 같은 모든 경제 활동을 질서정연하게 움직여 경제 문제가 해결된다고 보았습니다.

그런가 하면 자본주의 경제를 과학적으로 분석하는 데 가장 많은 노력을 기울인 경제학자는 《자본론》을 쓴 마르크스입니다. 마르크스는 자본주의를 19세기에 등장했다가 곧 붕괴될 운명을 가진 경제 체제로 보았지요.

▲ 카를 마르크스

*자유방임 – 각자의 자유에 맡겨 간섭하지 아니함.

사회주의

마르크스는 공산주의 사회가 실현되려면 노동자 계급이 무력 투쟁으로 자본가 계급을 무너뜨리고 모든 권력을 장악하는 단계가 필요하다고 보았는데, 그것이 바로 사회주의입니다. 마르크스가 말하는 사회주의는 생산 수단을 공유하고, 국가가 계획 경제를 실행하는 사회입니다. 쉽게 말해서 '능력껏 일하고 일한 만큼 분배받는 사회'이지요. 이러한 맥락에서 사회주의를, 생산 수단의 사회적 소유와 계획 경제 제도를 통해 평등 사회를 건설하려는 사상 또는 사회 운동으로 보기도 합니다. 그런가 하면 개인주의에 반해 사회 전체를 강조하는 의미로 쓰기도 하지요.

공산주의

마르크스는 사회주의를 거쳐 생산력의 수준이 고도로 높아지고 사회적 책임을 다하는 공산주의 인간형이 완성되면, 최종적으로 계급도, 국가도 없는 평등 사회인 공산주의 사회가 도래한다고 주장했습니다. 공산주의 사회는 공동 소유, 공동 생산, 공동 분배가 이루어지는 사회입니다. 역사 발전 단계 중 최고 단계를 의미하며, 세계 여러 나라들과 교류, 협동이 이루어지고, 계급과 국가가 사라지는 자유로운 개인들의 공동체를 의미합니다.

그러나 현실의 공산주의는 마르크스의 생각대로 되지 못했습니다. 1917년 레닌(Nikolai Lenin, 1870~1924)이 공산주의 혁명을 통해 최초의 공산주의 국가 소련(소비에트 연방)을 건설했지만, 74년 만인 1991년에 무너졌습니다. 소련의 지배하에 있던 15개의 연방국들도 각각의 독립국으로 분리되었고, 동유럽의 공산주의 국가들 역시 공산주의 타이틀을 내려놓고 말았지요.

▲ 니콜라이 레닌

제3장 상품이란 무엇일까?
상품
상품
상품
상품
상품
상품
상품
상품
상품

드디어 《자본론》의 첫 장이야.
자본론

첫 장에서 공부할 '상품' 은 《자본론》 전체를 이해하는 데 아주 중요한 키워드란다.
상품

마르크스가 《자본론》에서 상품을 제일 먼저 다룬 것도 그런 이유에서지.
목 차
1장: 상품

그럼 상품이란 과연 무엇일까?
신상품 "코너"

너무나 잘 아는 단어이지만 막상 설명하려니 어렵지?
상품?
그, 그거!

한마디로 말하면 우리가 돈을 주고 사 일상에서 사용하는 물건들이야.
운동화
바지
컴퓨터
휴지
연필

그럼 마르크스가 상품을 자본론 첫 장에서 다룬 이유에 대해 좀 더 구체적으로 살펴보자고.

우리 몸은 '세포'라는 가장 작은 물질들이 모여 이루어졌어.

자본주의 사회에서 상품은 바로 그 세포와 같은 역할을 한단다.

'상품을 생산하고, 상품을 판매하고, 상품을 소비하는 사회다.'라고 말해도 과언이 아니지.

이 상품의 비밀들을 알면 자본주의를 모두 이해한 것과 다름없는 거야.

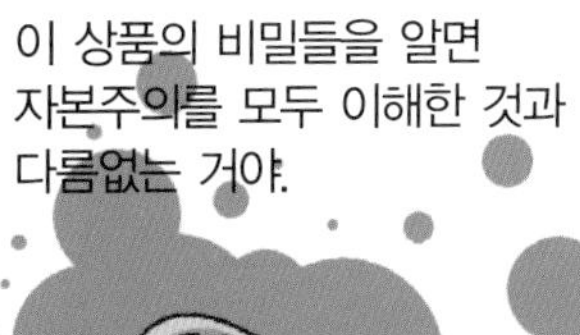

마르크스는 사람들이 아주 오랜 옛날부터

생존을 위해 매일매일 땀 흘려 일하며 많은 물건을 생산해 사용해 왔고,

인간이 사회를 만들어 살게 된 것도 이런 물건들을 서로 협력해 생산하면서부터라고 생각했어.

인간의 역사 또한 이런 물건들을 생산하는 과정에서 여러 단계로 발전해 왔다고 보았지.

그런데 사람들이 일상생활에서 사용하는 물건,
즉 상품의 공통점은 무엇일까?

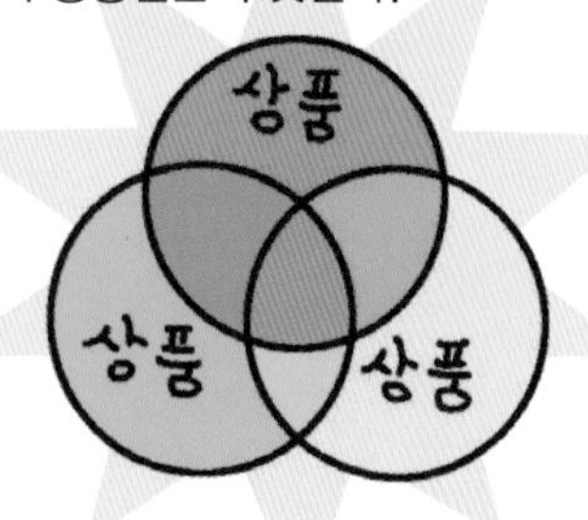

상품	사용 가치
	배고픔 해결
	비를 막아 줌

시장에서 만나 자신들이 가진 상품을
서로 교환할 수 있었던 이유 말이야.

상품에는 이 '교환 가치' 가
있어서 상품끼리 바꾸기도 하고,
돈으로 교환할 수도 있는 거지.

교환
가치

잘 기억해 둬. '교환 가치' 를 가치라고
한다는 거!

*농노 – 중세 봉건 사회에서 봉건 영주에게 속한 농민.

시장에서 다른 사람의 상품과 교환하거나 돈을 받고 팔기 위해 만든 물건, 교환 가치를 가진 물건만이 진정한 의미의 상품이라고 할 수 있어.

10,000원 5,000원 3,000원 2,000원

그럼 이 대목에서 지금까지 배운 내용을 한번 정리해 볼까?

'인간은 생존을 위해 노동을 하고,

노동을 통해 만들어 낸 물건 중에서 사용 가치와 교환 가치를 가진 물건을 상품이라고 한다.

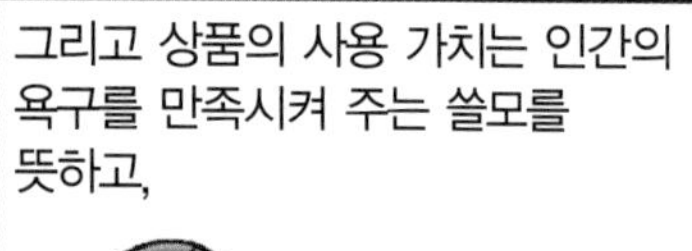

그리고 상품의 사용 가치는 인간의 욕구를 만족시켜 주는 쓸모를 뜻하고,

교환 가치는 다른 상품과 교환될 수 있는 성질을 말한다.'

그리고 상품에 두 가지 성질, 즉 사용 가치와 교환 가치가 있다는 것을 '상품의 이중성' 이라고 해.

숲 속의 아름드리 나무는 상품일까, 아닐까?

답은 '상품이 아니다' 야. 왜냐고?

나무는 쓸모, 즉 사용 가치를 가지고 있지만

교환 가치는 가지고 있지 않기 때문이지.

그럼 공기나 숲의 나무를 '상품'으로 만들려면 어떻게 해야 할까?
공기
상품
상품

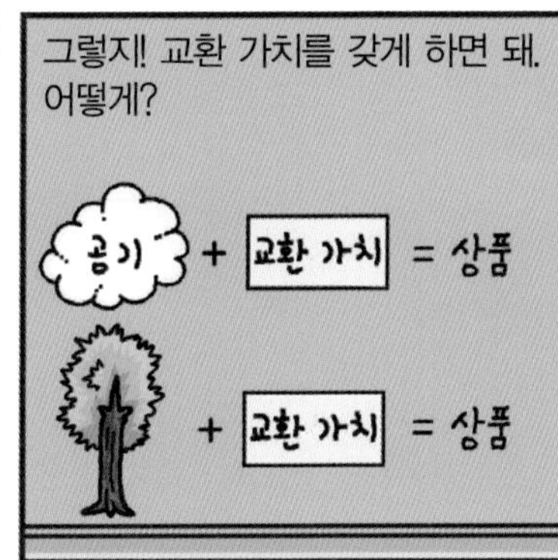
그렇지! 교환 가치를 갖게 하면 돼. 어떻게?
공기
교환 가치
= 상품
교환 가치
= 상품

공기의 성분 중에서 산소만을 추출해 통에 담아 산소 호흡기를 만들어 팔거나,

숲의 나무를 베어 목재로 가공해 판매하면

비로소 교환 가치가 있는 상품이 되는 거지.
1000
1000

선생님! 그런데 상품의 사용 가치와 교환 가치는 어떻게 생겨난 거예요?

좋은 질문이야. 조금만 깊이 생각해 보면 쉽게 알 수 있단다.

어떤 상품이든 인간의 땀과 노력, 노동을 통해 생산된다고 했던 거 기억나지?
땀
노력
노동
생산
상품

상품인 쌀, 포도주, 신발은 각각 쌀을 만드는 노동, 포도주를 만드는 노동, 신발을 만드는 노동에서 비롯된다는 거지.

인간의 노동도 상품처럼
두 가지 성질이 있어.

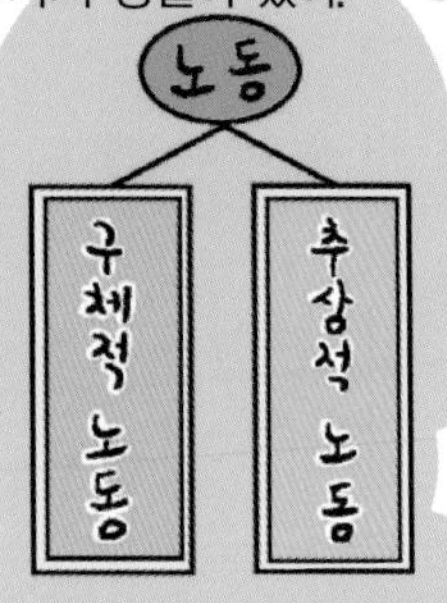

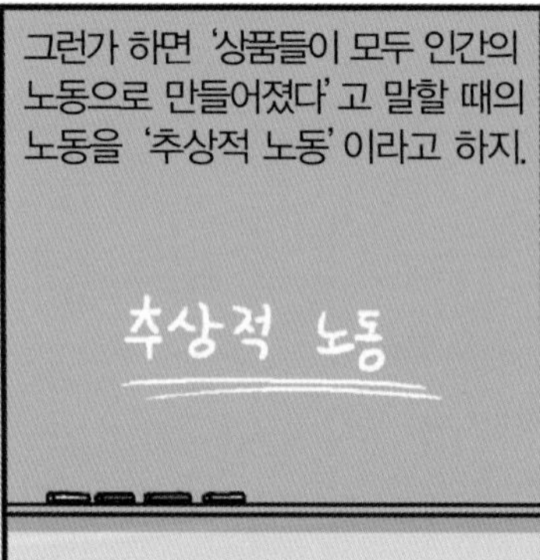

추상적 노동은 인간의 노동이 얼마나
들어갔느냐 하는 양적 차이만 따질 수 있지.

	쌀 생산	포도주 생산
노동 시간	논 갈기 : 10시간	포도 따기 : 20시간
	벼 베기 : 20시간	통에 담기 : 5시간

이렇게 노동이 두 가지
성질을 가지는 것을 '노동의
이중성' 이라고 한단다.

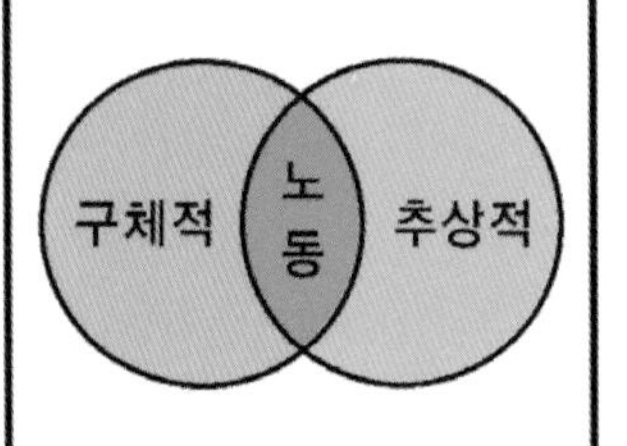

인간의 구체적 노동으로
상품의 사용 가치가 생겨나.

결국 모든 상품은 인간의 노동,
즉 땀과 노력으로 만들어졌기 때문에
가치 있다는 것이

상품에 숨겨진 비밀이 정말
바닷속처럼 깊고
넓지?

그런 상품의 비밀을 파헤치고 나면 《자본론》을
절반은 이해한 셈이라고 했으니까,

힘내서 마지막 고지를 향해
가 보자!

호랑이를 잡으려면 호랑이 굴에
들어가야 한다잖아.
호랭이네

그렇듯이 상품을 제대로 알려면 상품이 활발하게 거래되고 교환되는 시장에
가 봐야 해.
미래청과물
유라네 치킨
청해수산
홍어전문
회

한 농부가 쌀 4kg을 소금 8kg과
바꾸고 있어.

어떤 아주머니는 닭 2마리를
고무신 2켤레와 교환하고 있네.

자, 그럼
이 상품 교환을 식으로
나타내 볼까?

꼭 식으로 써야 하냐고? 물론이지.
《자본론》은 마르크스표 경제학을
대표하는 책인데,
자본론
마르크스

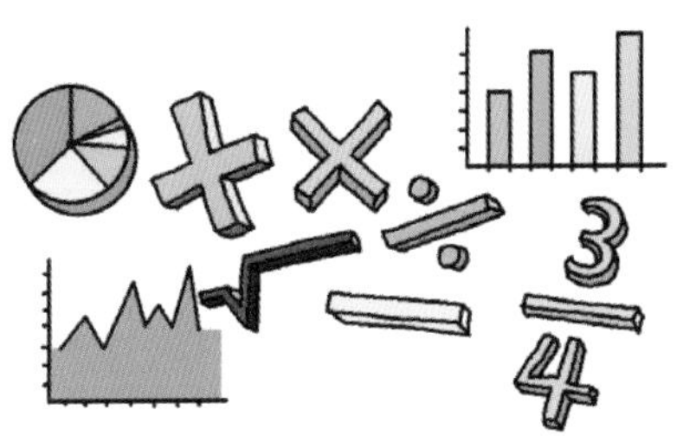
경제학 하면 숫자, 통계 그래프, 수식을
빼놓을 수 없잖아.
3
4

그러니 《자본론》을 이해하려면
수식과 친해져야 한다고.
그렇다고 겁먹지는 마. 쉽고
간단한 수식만 나오니까.
정말요?

농부의 교환은 다음과 같이 나타낼 수 있어.
소금
아주머니의 교환은 아래 그림처럼 나타낼 수 있고,

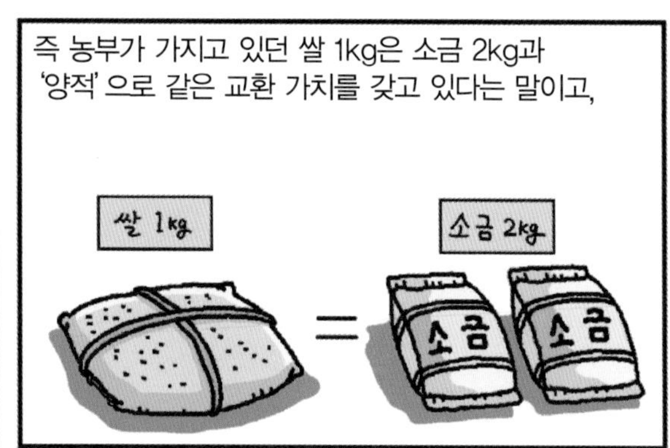
즉 농부가 가지고 있던 쌀 1kg은 소금 2kg과 '양적'으로 같은 교환 가치를 갖고 있다는 말이고,
쌀 1kg
소금 2kg
소금

아주머니가 가지고 있던 닭 1마리는 고무신 1켤레와 양적으로 같은 교환 가치를 가지고 있다는 뜻이지.
닭 1마리
고무신 1켤레

그럼 이 물건들의 교환 비율은 어떻게 정해졌을까?

혹시 각 상품들의 서로 다른 사용 가치로 정해진 거 아닌가요?

미안하지만 틀렸어. 쌀은 밥을 짓거나 떡을 하는 데 쓸모가 있고,

소금은 음식의 맛을 내는 데 쓸모가 있다고 할 때의 쓸모 즉 사용 가치는 양으로 측정할 수 없거든.

그렇다면 상품의 또 하나의 가치인 교환 가치 때문에 이런 교환 비율이 생겨난 것일까?
교환 가치
사용 가치

맞았어. 교환 가치의 차이 때문에 교환 비율이 성립한 거야.

쌀 1kg과 소금 2kg의 교환 가치가 양적으로 서로 같고,

닭 1마리와 고무신 1켤레의 교환 가치가 양적으로 서로 같다는 뜻이지.

사용 가치는 상품에 들어 있는 노동의 질적인 차이만을 나타낼 뿐이야.

반면 교환 가치는 상품 안에 들어 있는 노동의 양이 어느 정도인지를 나타낸단다.

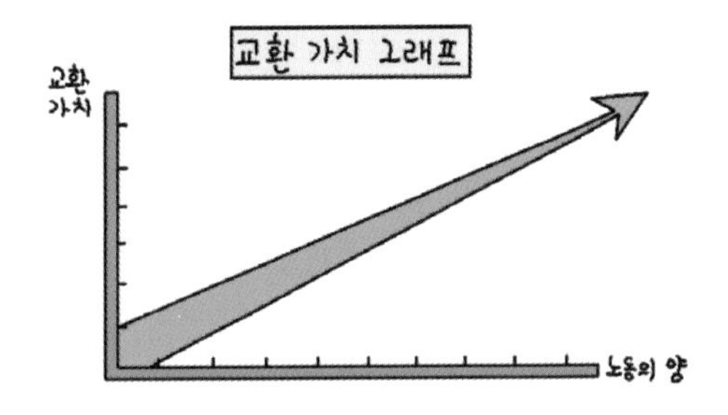

다시 말해서 쌀 1kg과 소금 2kg을 만드는 데 들어간 노동량이 서로 같다는 거야.

노동량이 같았기 때문에 농부가 쌀 4kg을 소금 8kg과 바꿀 수 있었던 거고

아주머니도 닭 2마리를 고무신 2켤레와 바꿀 수 있었던 거지.

교환 가치는 양적으로 차이가 나는 추상적 노동으로 만들어진다고 했으니까 그 차이를 계산하면 돼.

노동량을 재는 단위는 상품을 생산하는 데 들어간 '노동 시간'을 따져 보면 비교하기가 쉬워.

즉 상품을 생산하는 데 노동 시간이 얼마나 들어갔는지를 계산하면
의자를 만들자.

상품 안에 들어 있는 노동량을 구할 수 있다는 말씀!
나는 두 시간!

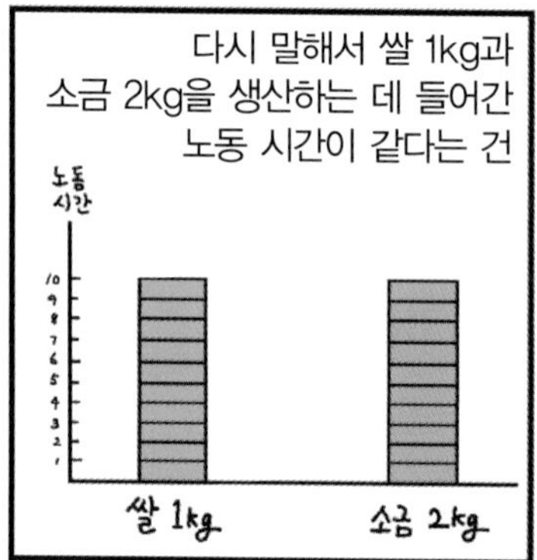
다시 말해서 쌀 1kg과 소금 2kg을 생산하는 데 들어간 노동 시간이 같다는 건
노동 시간
쌀 1kg
소금 2kg

노동량도 같다는 거야.
난 10시간.
우린 둘이 합쳐서 10시간.

그리고 이 노동량으로 상품의 교환 비율이 정해진다는 거지.
노동량이 같구나!

컵 10개를 생산하는 데 4시간의 노동 시간이 들어갔고,
노동 시간 : 4시간
옷 4벌을 생산하는 데 8시간의 노동 시간이 들어갔다면
노동 시간 : 8시간

자, 그럼 이럴 때 어김없이 나오는 응용 문제를 풀어 봐.

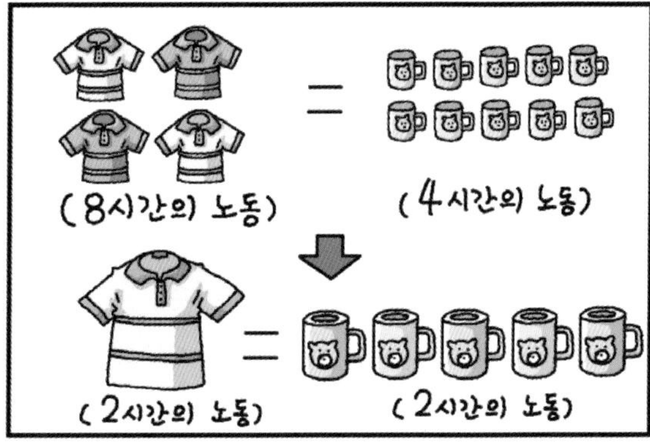

똑같은 상품을 만드는 데 기술이 좋은 노동자보다 노동 시간이 더 많이 걸렸다면,

상품의 교환 가치가 그렇게 결정된다면 뭔가 공평하지 않아 보이는걸.

서툰 솜씨로 만든 질 나쁜 상품이 질 좋은 상품보다 비싸다니 말이야.

그런 질 나쁜 상품을 누가 더 비싸게 사려고 하겠어?

그럼 이런 문제는 어떻게 해결해야 할까? 잘 들어봐.

만약 농구공 한 개가 교환 가치 5,000원으로 거래가 이루어졌다면

이 가격은 농구공을 만드는 전국 노동자들의 노동 시간을 다 조사해 결정한 것이겠지?

물론 그러면 좋겠지만 그렇게 하다가는 매일같이 엄청난 상품이 쏟아지고 판매되는 자본주의 사회가 제대로 굴러갈 수 없을 거야.

그래서 상품의 교환 가치는 '평균 노동 시간'을 기준으로 결정한단다.

농구공 한 개를 생산하는 데 들어가는 평균 노동 시간을 정하고

평균 5시간 정도 걸리는데요.

그럼 농구공의 노동량은 5시간이군.

그것을 기준으로 농구공 한 개의 교환 가치를 5,000원으로 정한다는 거야.

이렇게 시장에서 거래되는 모든 상품들의 교환 가치는

그 상품을 생산하는 데 사회적으로 합의한
평균 노동 시간을 기준으로 결정돼.
가치
평균 노동 시간

자, 이제 상품에 담긴 모든 비밀을 다 밝혔으니,
한번 더 정리해 볼까?

상품이 교환 가치를 갖는 건 상품이 인간의 노동의
산물이기 때문이고,

이때의 노동을 '추상적 노동'이라고 한다.
추상적 노동

추상적 노동은 책상, 한복, 신발 등과 같이 상품의
질적인 차이를 만드는 노동이 아니라,

상품을 만드는 데 얼마만큼의 노동량이
들어갔느냐를 시간으로 나타낼 수 있는
노동이다. 그리고 교환 가치는 노동 시간을
비교해 결정한다.

이때의 노동 시간은 개개인의 노동
시간이 아니라 사회적 평균
노동 시간이다.
개개인 노동 시간
사회적 평균 노동 시간

어때? 쉽지?

여기서 잠깐!
STOP

노동자들이 처음에는 물건을 잘 만들지 못해서 노동 시간이 많이 걸렸는데,
못 믿겠지만 밥그릇이에요.

갈수록 솜씨가 좋아지고 능숙해져 같은 물건을 만드는 데 노동 시간이 점점 줄어들거나,

혼자 만들던 상품을 분업하거나 기계로 만들어 노동 시간이 절반으로 뚝 줄어들었는데도
노동 시간 1시간

생산량이 많아진다면 상품의 교환 가치는 어떻게 될까?

상품을 만드는 데 들어간 노동 시간은 줄고 생산량은 늘었으니까
노동량
생산량

평균 노동 시간도 줄겠지. 따라서 상품의 교환 가치는 낮아질 거야.
1000 500

시간을 많이 들여 일일이 손으로 만든 핸드메이드 상품보다
한 달 걸렸어.

짧은 시간에 공장에서 기계로 똑같이 찍어 내는 상품이 더 저렴한 것이 바로 그런 이유란다.
뜨아!

드디어 '상품'에 대해 모두 공부했어.

이제 호랑이 굴에서
나올 시간인데,

호랑이는 제대로 잡았나 모르겠구나.

오히려 호랑이에게 쫓겨
도망치지나 않았는지 걱정되는걸?

도중에 힘들다고 포기해 버린
친구들은 없느냐는 뜻이야.
도저히
모르겠어.
탁

여기까지 왔는데도
이해가 안 되는
사람은,
너무 어려워.

앞으로 돌아가서 다시 한번 차근차근 읽어 봐. '공부엔 왕도가
없다!'고 하니까 반복해서 읽다 보면 차츰 이해될 거야.

이 장에서 다룬 상품의 비밀은 반드시
기억하고 넘어가야 돼.
자본주의

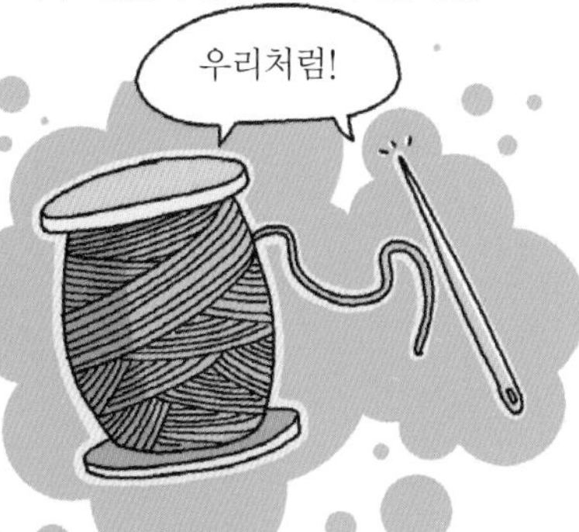
왜냐하면 다음 장에서 공부할 '화폐'와
아주 밀접하게 연결되어 있거든.
우리처럼!

뿐만 아니라 앞으로 나올
《자본론》의 모든 내용들이 그렇게
서로 연결되어 있다는 것도 알아 둬.

그럼 '화폐' 강의 시간에
다시 만나!
1000

노동 가치론과 효용 가치론

▲ 애덤 스미스

상품의 사용 가치와 교환 가치 중 어느 것이 상품의 가격을 결정하는지에 대한 입장 차이는 경제학을 서로 다른 두 방향으로 발전시켜 왔습니다. 상품 생산을 위해 투입된 노동의 양인 교환 가치에 따라 가격이 결정된다는 노동 가치론과, 상품의 사용 가치를 통해 얻는 만족감인 효용에 따라 가격이 결정된다는 효용 가치론이지요.

노동 가치론

노동 가치론을 처음 제기한 사람은 애덤 스미스였습니다. 애덤 스미스는 자본주의 경제가 어떤 원리로 작동하는지를 연구해 1776년에 《국부론》을 펴냈지요. 그 뒤를 이어 영국의 경제학자 리카도(David Ricardo, 1772~1823)가 상품의 가격은 상품을 생산하는 데 들어간 노동량으로 결정되며, 노동량은 노동 시간에 의해 측정할 수 있다는 노동 가치론을 확립했습니다.

▲ 데이비드 리카도

마르크스는 애덤 스미스와 리카도의 노동 가치론을 계승하여 인간의 노동만이 가치를 만들어 내는 유일한 원천이라고 주장했습니다. 그리고 노동 가치론을 잉여 가치론으로 발전시켰습니다. 즉 자본가가 노동자들이 만든 가치를 노동자에게 돌려주지 않고 착취한다는 것이지요. 마르크스의 주장은 이후 불평등한 자본주의 사회를 비판하고 공정한 분배에 초점을 맞춘 사회주의 경제학의 주요 이론으로 자리 잡았습니다.

효용 가치론

효용 가치론자들은 상품의 가격이 인간의 노동량에 달려 있는 것이 아니라 상품을 사용하는 소비자들의 주관적인 만족감, 즉 효용에 달려 있다고 봅니다. 예를 들어 우표를 수집하는 취미를 가진 사람에게 오래된 우표는 아주 높은 효용을 가져다 줍니다. 따라서 기꺼이 비싼 가격을 지불하고 우표를 산다는 것이지요.

애덤 스미스가 다이아몬드는 물에 비해 효용(쓸모)이 적음에도 불구하고 효용이 더 많은 물보다 비싸게 거래된다는 가치의 역설(스미스의 역설)을 예로 들어 상품의 가격과 효용의 크기가 서로 일치하지 않음을 설명했습니다. 이에 대해 효용 가치론자들은 효용과 가격이 일치하지 않는 이유는 물이 다이아몬드보다 훨씬 흔하기 때문이라며 애덤 스미스가 언급한 가치의 역설을 반박했습니다. 즉 다이아몬드의 한계 효용(소비를 늘릴 때마다 증가되는 만족감)이 물의 한계 효용보다 훨씬 높기 때문에 다이아몬드의 가격이 더 비싸다는 것이지요.

효용 가치론은 노동 가치론을 반대하는 자본가들의 이윤 추구를 정당화하고, 분배의 평등보다는 경제 성장을 더 우선시하는 자본주의 경제학의 주요 이론으로 발전해 갔습니다.

제4장 화폐란 무엇일까?
100

먹구름이 몰려오는 것을 보면 '비가 오겠구나.' 하고 짐작할 수 있듯이,

《자본론》에서는 '상품 다음엔 화폐가 나오겠구나.' 하고 짐작할 수 있어.

왜냐고? 상품이란 교환을 목적으로 생산된 물건이고,

교환을 하려면 '교환 가치'를 알아야 하는데
이 옷을 신발 2켤레와 바꿀래.

이 교환 가치라는 걸 쉽게 말하면 바로 상품의 '가격'이거든.
교환 가치
내가 바로 상품의 가격이야!

그럼 잘 생각해 봐. 상품의 '가격'은 어떻게 표시하지?

화폐로요!
그렇지! '화폐'로
표시하지.

예를 들어 운동화 1켤레에 5만 원, 불고기 햄버거 1개에 3천 원, 장미꽃 1송이에 5백 원 하는 식으로 말이야.
₩5,0000
₩3,000
₩500

이처럼 상품이 가진 교환 가치를
상품의 가격이라 하고,

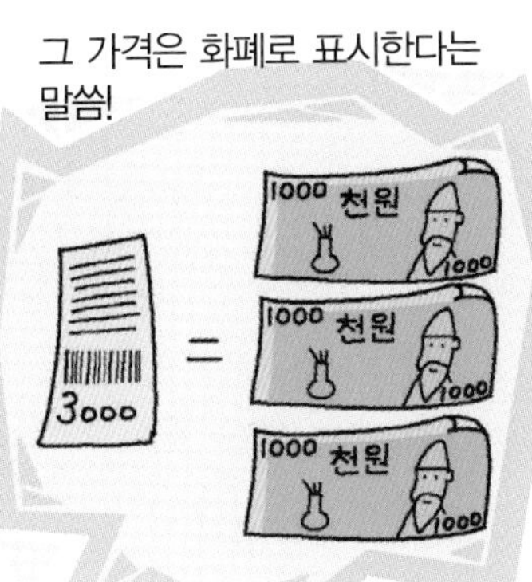
그 가격은 화폐로 표시한다는
말씀!
3000
=
1000 천원
1000 천원
1000 천원

따라서 상품에 대해 이야기하다 보면,
교환이 연결되고
상품
교환

교환은 자연스럽게 '화폐'에 대한 분석으로
이어져.
품
교환
화폐

그럼 너무 당연하게 여겨져서 한 번도 궁금해하지 않았던 질문을
시작으로 '화폐' 이야기를 해 볼까?
2009
100
한국은행

상품의 가격을
꼭 화폐로만
표시해야 할까?
그럼요.
화폐 말고
뭘로 표시해요?

특정 물건을 화폐로 정할 수도 있잖아.

예를 들어
수박 1kg을
곶감 10개에 팝니다.
옷 1벌을 고무신
3켤레에 팝니다.
NICE
O.K

이처럼 화폐 말고 물건으로도 상품의
가격을 나타낼 수
있다는 말이지.
나 말고 또
있다니 대단히
불쾌한걸.

주화나 지폐 같은 화폐를
오랫동안 사용해 와서
그 외의 것을 별로 생각해 보지
않았겠지만
한국은행
만원
10000

화폐가 없던 시절에는 실제로
곡식, 옷감, 가축 등 특정한
물건을 화폐로 사용했단다.
나도 화폐였어.

하지만 수없이 많은 상품이 공장에서
쏟아져 나오고

상품을 사고파는 교환 규모도 엄청나게 커진
자본주의 사회에서

상품의 가격을 일일이 물건으로
표시한다면 얼마나 불편하고
혼란스럽겠니?
최신형 냉장고
₩ 돼지 200 마리

오늘날 화폐는 동전, 지폐, 수표 등의 형태로 쓰여. 신용 카드나 전자 화폐*로도 변화해 가고 있지.

*전자 화폐 – 실제 화폐는 아니지만 컴퓨터 네트워크를 통해 화폐 기능을 하는 화폐.

처음에는 남는 물건이나 필요한 물건을 바꿔 쓰는
단순한 수준의 물물 교환이었어.

그러다가 점차 쌀이나 옷감, 생선, 소금, 면화 등
특정한 물건을 정해 물물 교환을 했지.

당시 사용했던 물건들은 일상생활에서 흔히 사용하던 상품들이었어.
옥수수
소금
쌀
누구에게나 꼭 필요한
물건들이어서 화폐를
대신할 수 있었던 거지.

사막에서 죽을 것 같은 갈증에
시달리는 사람에게

배낭 안에 금덩어리가 들어 있다고
한들 무슨 소용이 있겠어?

그 순간에는 차라리 물
한 모금이 더 귀하지.
앙
앙
목말라.

21세기인 지금도

해발 4, 5천미터의 중국
고원 지대에 사는 사람들은

수십 마리의 말에 차와 소금,
약재를 싣고 히말라야 산을 넘는데

티베트나 네팔에 가서 식량이나 말로 교환해 오기
위해서야. 이때 높고 험준한 길을 지나는데 그 길을
차마고도(茶馬古道)라고 해.

차마고도는 실크 로드보다 200여 년 앞선, 인류의
가장 오래된 교역로지.

예부터 오늘날에 이르기까지 이들이
서로 교환해 온 차와 말은 살아가는
데 없어서는 안 될

생활 필수품이었어.
그래서 화폐 역할을
했던 거지.

그럼 이제 화폐의 역할을 좀 더
자세히 알아보자.

어떤 사람이 쌀 10kg을 시장에
가지고 가서,
시장에 가면
생선도 있고,
신발도 있고.
시 장

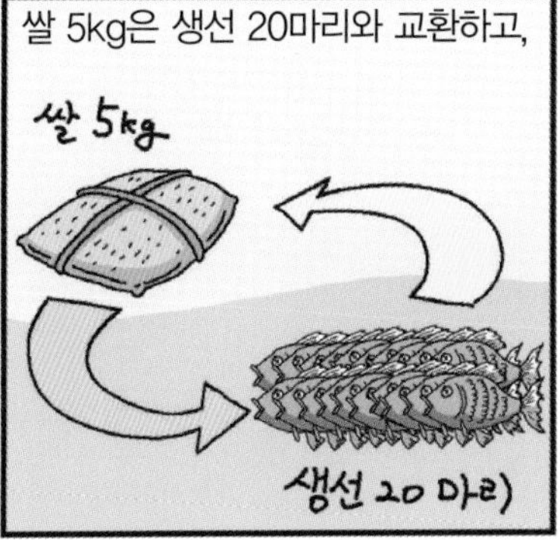
쌀 5kg은 생선 20마리와 교환하고,
쌀 5kg
생선 20 마리

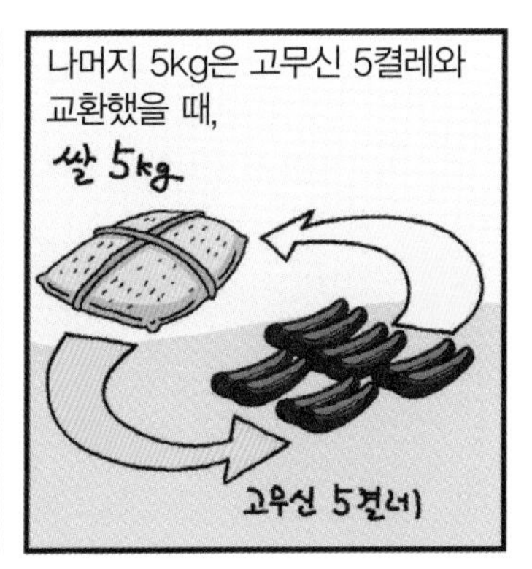
나머지 5kg은 고무신 5켤레와
교환했을 때,
쌀 5kg
고무신 5켤레

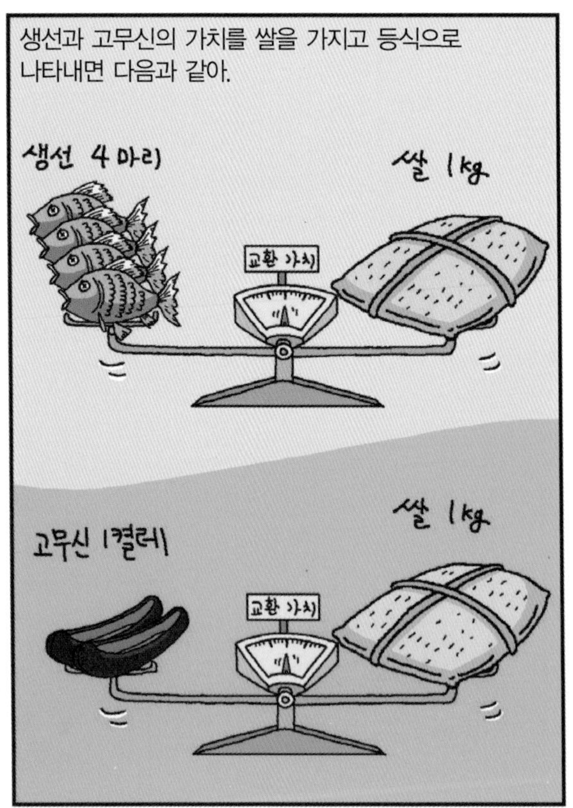
생선과 고무신의 가치를 쌀을 가지고 등식으로 나타내면 다음과 같아.
생선 4마리
쌀 1kg
교환 가치
고무신 1켤레
쌀 1kg
교환 가치

생선 4마리와 고무신 1켤레의 교환 가치, 즉 가격은 쌀 1kg에 해당한다는 의미지.

이때 화폐 역할을 하는 쌀은 생선이나 고무신이라는 상품의 가치, 즉 가격이 어느 정도인가를 표시해 주는 기준이야. 이처럼 화폐의 기능을 하는 상품을 '상품 화폐' 라고 해.
생선 두 마리니까 쌀 500g이면 되겠네.

이 상품 화폐가 '가치 척도'의 역할을 하지. 가치 척도란 상품의 가치를 재는 기준이란 뜻이야.
가치척도

교환이 확대되면서 상품 화폐를 사용하는 게 불편해졌다고 얘기했었지? 그럼 어떤 점들이 불편했던 걸까?
교환
너무 커졌어!

가령 고무신의 가치를 쌀이 아닌 소로 표시해 보자.
고무신 2켤레가 필요한데요.
뭐?

슬슬 머리가 아프기 시작하지?
고무신 2켤레는 쌀 2kg인데 쌀 2kg을 소와 바꾸려면
소 1마리는 쌀이 몇 kg?

불편한 점은 그뿐이 아니었단다. 상품 화폐는 교환의 양이 늘어나거나 멀리 떨어져 있을 때는 사용하기가 아주 곤란했지.
서울
저… 다이아몬드 반지 하나 사려고 하는데요.
부산
네, 감사합니다. 가격은 닭 500마리입니다.

일단 닭 500마리는 부피가 커서 운반하기가 어려워.
엄마! 어디 가?
꼬꼬댁!
꼬!꼬!
꼬꼬댁!
반지 사러 부산 좀 갔다 올게!

보관도 어렵고,
거기 서!
꼬꼬댁 꼬꼬..

살아 있는 생명체일 때는
장 보러 가자!

작은 단위를 거래할 때 가격을 표시하기가 곤란하지.
바늘 값만큼 잘라 가세요.
그게 말이 되니?

어떻게 떡 한 덩어리를 송아지로 표시할 수 있겠냐고.
?
=

시간이 흐르면 병에 걸리거나 죽는 것도 객관적인 화폐의 기준을 유지하기 어려운 조건이었어.

생명체가 아니어도 마찬가지야. 햅쌀로 거래했는데, 나중에 묵은쌀로 변하면 객관적이라고 할 수 없지.
쌀 한 가마 가져오라며!
묵은쌀 말고 햅쌀 한 가마.

그런데 어려움이 닥칠 때마다 돋보이는 게 바로 인간의 '문제 해결 능력'이잖아.

그런 능력으로 상품 화폐의 단점을 보완할 다른 화폐를 고안해 냈지.
운반
보관
신선도
단위

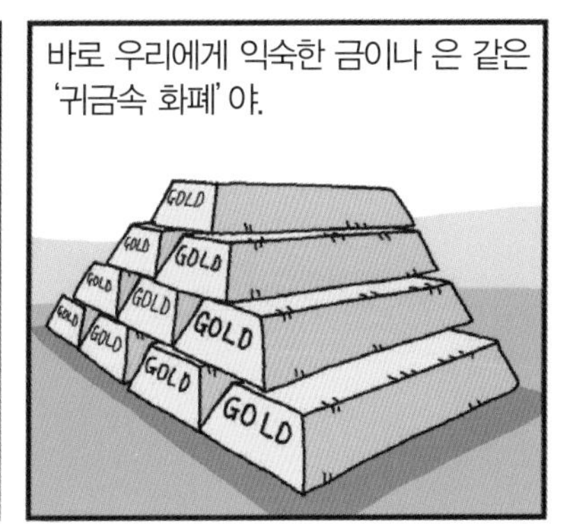
바로 우리에게 익숙한 금이나 은 같은 '귀금속 화폐'야.
GOLD

생각해 봐. 금과 은으로 화폐를 만들면 편리한 점이 얼마나 많을지.
GOLD
오~
오~

우선 금과 은의 금속 표면에 금액을 찍어서 표시할 수 있고,
100g
50g

작은 단위까지 화폐를 만들 수도 있어.
100g
50g
10g

상품 화폐에 비해 보관이나 운반도 용이하지.
돼지 한 마리 얼마예요?
쌀 10가마, 아니 금 10개요.

금과 은으로 된 금속 화폐는 '주화' 일명 동전의 형태로 만들어 교환에 사용했단다.

옛날 역사책이나 이야기 책을 보면

금화 한 닢, 두 닢, 금 한 냥, 두 냥 하는 구절이 있지? 그것이 바로 금으로 만든 주화란다.
금화다!

우리나라나 중국에서 사용했던 화폐 단위인 한 냥, 두 냥, 열 냥 등의 '냥'은 원래 은의 무게를 나타내는 단위였어.
한 냥.
떵호와~
어흠!
두 냥이다 해.

유럽에서 사용하는 화폐 단위 '파운드'는 금이나 은의 무게를 나타내는 단위였지.
£ (pound)

미국을 비롯한 여러 나라의 화폐 단위인 '달러'도 은화의 이름에서 유래했어.
$ 달러

금과 은 같은
금속 화폐가 등장하면서
상품 가치도 더 쉽게
표현할 수 있게 되었어.
비단 10필
=
금 10냥
소금 1kg
=
은 1파운드

뿐만 아니라,
와 와
와 와
SILVER
GOLD

화폐의 역할만 전담하는 상품이 처음 등장했다는 점에서 그 의미가 크지.
나 하나면
교통정리 끝!

그래서 이런 말이 있단다.
나?
아니,
너 말고!

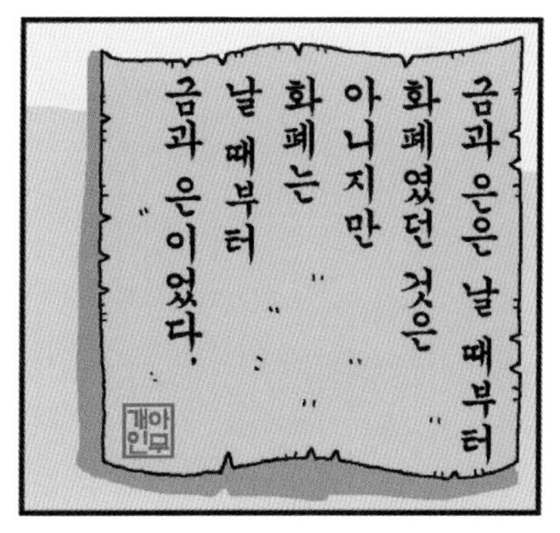
금과 은은 날 때부터
화폐였던 것은
아니지만
화폐는
날 때부터
금과 은이었다.
개아인무

여러 번 읽으면 무슨 말인지
이해될 거야.
금과 은
금과 은
금과 은
금과 은
아하!

한편 시간이 지나면서 금화가
은화의 자리를 모두 차지했어.
화 폐

은 공급량이 많아지면서 은이 금에 비해
가치가 떨어졌거든.
하 하 하 하

그래서 금이 은을 제치고 화폐의 지존으로 등극한 거지.

*주조 – 쇠붙이를 녹여 거푸집에 부어 물건을 만듦.

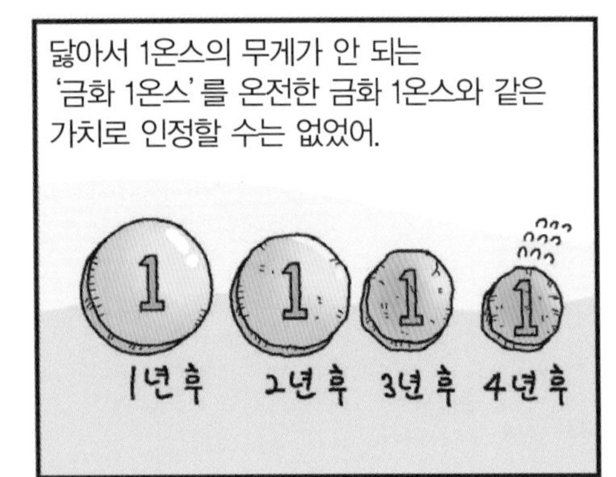

이런 혼란이 계속되자,

잘 닳지 않는 금속인 구리나 철로 주화, 즉 동전을 만들었어.
잘 부탁해.
이제 나한테 맡겨!

더 나아가 가격을 찍은 종이인 '지폐'가 출현했지.
하이!

그럼 금이나 은 같은 화폐는 완전히 사라졌나요?
나 돌아갈래~!

그렇지는 않아. 오늘날에도 귀금속으로 대접받는 것은 물론 실질 화폐로 쓰이고 있단다.

구리나 철로 된 주화나 지폐를 화폐로 사용하는 나라들도

자기 나라가 보유한 실질 화폐인 '금'의 양만큼만 지폐나 주화로 찍어 내 사용할 수 있어.
1파운드짜리 금 100개 만큼만 찍어라~.

그 이유는 금이 세계에서 통용되는 귀금속이기 때문이야.
GOLD

그래서 금을 세계 화폐라고도 부르지. 한마디로 말해서 '화폐의 일인자'인 셈이야.
GOLD
세계 화폐 최강자전

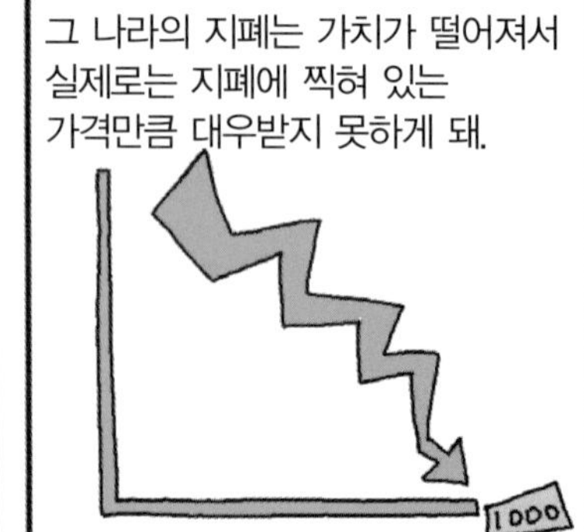

그렇게 계속 금의 양보다 더 많은 지폐를 만들어
내면 지폐의 가치는 점점 더 떨어져 결국
'휴지 조각'으로 전락해 버릴지도 모르지.

흥 헹
이건
휴지만도
못하잖아!

*비일비재 – 같은 현상이나 일이 한둘이 아니고 많음.

**착시 현상 – 사물이 실제와 다르게 보이는 것.

마르크스는 상품의 교환 가치(가격)가
어떻게 만들어진다고 했지?
교환 가치

그래. 인간의 추상적 노동으로 만들어지고,

사회적으로 합의한 평균 노동 시간을 기준으로
결정된다고 했지?
4시간
8시간
7시간
3시간

그럼 '화폐'는 상품의 교환 가치, 즉 가격을 나타내는
거니까
70,000원
10000

이 화폐 속에는 결국 무엇이 들어 있다고 볼 수 있을까?
10000
만
원
10000

그래, 맞았어.
인간의 추상적
노동.
딱!

즉 사회적 평균 노동 시간이 들어 있는
거지.
10000
만
원
10000
사회적
평균 노동 시간

이해가 잘 안 된다고?
그럼 쉽게 예를 들어 볼게.

여기 운동화가 1켤레 있어.

'운동화'는 상품이니까 사용 가치와 교환 가치가 있다는 건 알고 있지?
사용 가치
교환 가치

운동화의 사용 가치는 만질 수도 있고 눈으로 확인할 수도 있어.
튼튼하게 생겼네.

그럼 이번엔 '운동화'를 뚫어지게 들여다봐. 그 운동화 안에 들어 있는 또 하나의 가치인 '교환 가치'가 보이니?

운동화 안에 얼마만큼의 노동량이 들어 있는지는 운동화를 아무리 들여다보고 뒤집어 봐도 알 수 없어.

이처럼 상품 속에 들어 있는 교환 가치, 즉 가격은 눈에 보이지 않는단다.
아무것도 안 보여.

그래서 교환 가치를 결정하는 노동을 추상적 노동이라고 했던 거야.

그러면 눈에 안 보이는 '교환 가치', 즉 가격을 어떻게 눈에 보이도록 만들어서 자유롭게 사고 파는 것일까?
이건 천 원, 이건 이천 원, 이건….

간단해. 눈에 안 보이는 교환 가치를 눈에 보이는 것으로 나타내 주면 되지.

눈에 안 보이는 상품의 교환 가치를 눈으로 볼 수 있게 해 주는 수단이라면….

그래! 바로 화폐야.
100

아직도 무슨 말인지 감이 안 오는 친구들을
위해 다시 예를 들어 설명해 줄게.
예
예

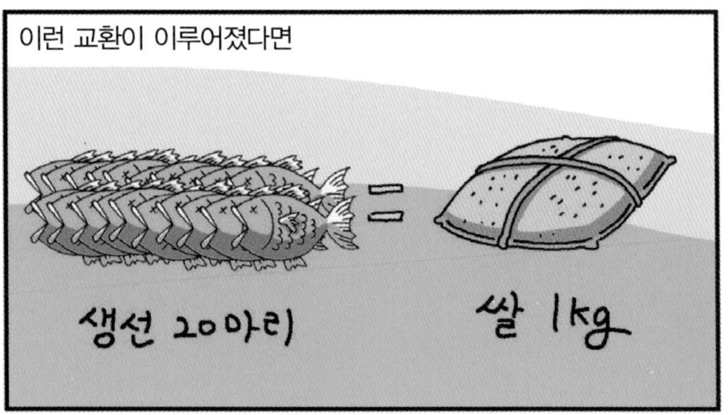
이런 교환이 이루어졌다면
생선 20마리
쌀 1kg

이때 생선이라는 상품의 가치를
쌀이라는 화폐로 표현했다는
것쯤은 모두 알고 있을 거야.

달리 표현하면 생선 20마리가 어느
정도의 교환 가치를 가지고 있는지
눈에 보이지 않기
때문에

쌀이라는 눈에 보이는 화폐로 표시해
누구나 공감할 수 있게 한 거지.
우리도 알 수 있겠다!

캐릭터 인형
=5,000원

캐릭터 인형의 눈에 보이지 않는
교환 가치(가치)를 5,000원이라는
화폐로 표시할 수 있는 것도
마찬가지 이유에서야.
와! 개구리다!
5000
5000
5000

이렇게 '화폐'란 눈에 보이지
않는 상품의 교환 가치를
나타내는 역할을 한단다.
이쪽입니다!
교환가치

상품의 교환 가치를 화폐로 표시한 것이
상품의 가격이라는 것도 꼭 기억해 줘.
가 격

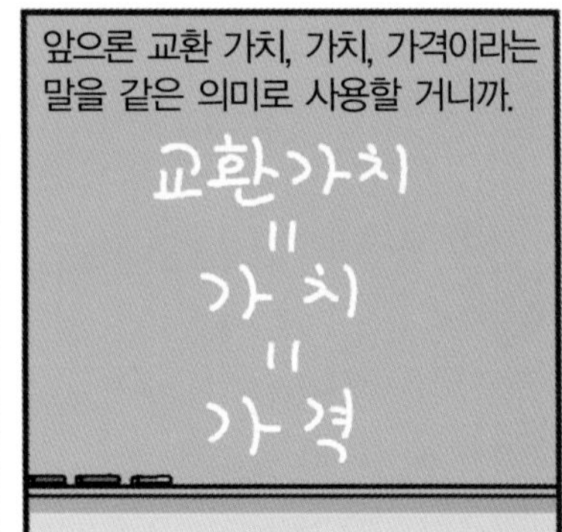
앞으론 교환 가치, 가치, 가격이라는
말을 같은 의미로 사용할 거니까.
교환가치
=
가치
=
가격

이처럼 화폐는 그 자체로 의미가 있다기보다 상품의 교환 가치를 대신 나타내는 역할을 해. 다시 말해서 화폐 자체로는 금속이나 종이 조각에 불과하다는 거야.
그 종이랑 금속, 저 주세요!
그건 안 되지.

따라서 화폐가 귀한 대접을 받는 것은 화폐 자체가 귀해서가 아니라
내가 귀하지 않았다니….

그 화폐가 나타내는 상품의 교환 가치가 귀하기 때문이지.
대접해 줄 때 잘 해라~.
네….

한마디로 말해서 화폐는 상품의 가치를 비추는 '거울' 혹은 '그림자'와 같다는 말씀!
상품
화폐

그런데 현실에서는 어떤 일이 벌어지는지 알아?

화폐 자체를 귀한 존재로 대우하고 있잖아.
여기 주스 한 잔 더~.

화폐 자체가 상품을 구매할 만한 능력을 지닌 양 여겨지고 있다는 뜻이야.
상품아, 가자!

원래는 상품의 가치가 주인이고, 화폐는 그런 주인의 가치를 대신하는 수단에 불과한데 말이지.

원래 나라의 주인은 국민이고 정치인은 나라를 다스릴 권리를 잠시 이양받은 것뿐인데
국민
주권

정치인이 마치 스스로 나라의 주인인 양 국민들 위에 군림하는 꼴이라고나 할까.
국민
주권

그래서 마르크스는 화폐에 대한 이런 오해를 착시 현상이라고 규정했던 거야.
화폐

그리고 이 착시 현상으로 인해 화폐가 모든 인간 관계를 지배해 버리고,

돈이면 뭐든지 다 할 수 있다고 믿는 화폐의 '물신성'이 생겨날 거라고 경고했지.

물신성(物神性)이란 물질, 즉 돈이 사람과 사람의 모든 관계를 지배하는 현상이라는 뜻이야.

이런 현상은 특히 자본주의 사회에서는 아주 극명하게 나타나. 돈 때문에 사람 사이가 가까워지기도 하고 멀어지기도 하지.
이 남자 돈 많다고 그랬지?
이 여자 재벌가의 외동딸….

생명을 살리거나 죽이기도 해. 그뿐 아니야. 사랑도, 명예도, 친구도 모두 돈으로 살 수 있고,
10000

선거에서 국민의 표도 살 수 있다고 믿지. 이 모든 것이 화폐의 물신성에서 비롯되는 거야.
10000
투표함

그래서 마르크스는 《자본론》을 통해 화폐에 대한 이런 착각을 깨고,
깨어나라!

화폐가 단지 상품에 들어 있는 인간의 가치를 표현한 수단에 불과하다는 걸 깨닫게 해 주고 싶었던 거야.
이것 봐. 그냥 물건일 뿐이야!

이건 시작에 불과해. 화폐의 착시 현상은 계속된단다. 예를 들어 볼게.

어떤 농부가 쌀 4kg을 장에 내다 팔아
화폐로 바꾼 뒤
햅쌀
이에요.

그 돈으로 딸 아이가 갖고 싶어 하는 비단 댕기 1개와
아들 녀석에게 줄 운동화 1켤레를 샀다고 해 보자.

이 교환은 쌀이라는 상품이
화폐로 바뀌고
100
100
10000

이 화폐가 다시 댕기와 운동화라는
상품으로 바뀌는 과정을 거친 거야.
100
100
10000

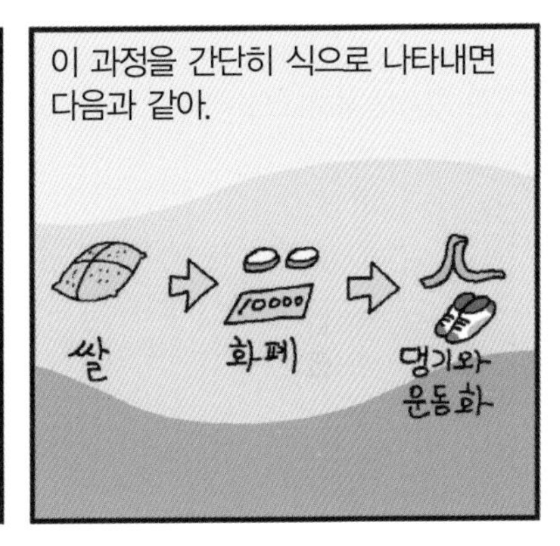
이 과정을 간단히 식으로 나타내면
다음과 같아.
쌀
화폐
댕기와
운동화

쌀이라는 상품이 화폐로 교환되는 과정을 판매 과정,
판매 과정

화폐가 댕기와 운동화로 교환되는 과정을 구매 과정
이라고 해.
구매 과정

그리고 이 두 과정을 합쳐서
'상품 유통' 이라고 한단다.
판 매
구 매
상품유통

상품 유통 : 상품→화폐 화폐→상품
(상품→화폐→상품) (판매 과정) (구매 과정)

*매개체 – 둘 사이에서 어떤 일을 맺어 주는 것.

그러면 교환의 범위나 규모가 엄청나게 확대되기 때문에 화폐를 교환에 꼭 필요한 귀한 존재로 대접하는 거야.

뿐만 아니라 화폐는 한 푼, 두 푼, 한 장, 두 장 모으면 부를 축적하는 수단이 돼.

예전에 화폐 구실을 하던 '쌀'을 많이 소유해 천석꾼, 만석꾼으로 불렸던 부자나,

또한 화폐를 가지고 있으면 어떤 상품도 원하는 시기에 원하는 만큼 살 수 있고

엄마~, 게임기 사 줘!

돈 없어.

화폐를 많이 소유한 사람은 그렇지 못한 사람들보다 사회적인 대우를 받거나 위세를 부릴 수 있어.

꾸벅!

화폐의 기능은 그것이 전부가 아니야.
하는 일이 많다고!

가령 과일을 재배하는 농부의 경우 수확할 때까지는 수중에 돈이 들어오지 않겠지?
아직 덜 익었네….

그러니 씨앗이나 비료 등을 파는 사람에게 외상으로 상품을 먼저 받고
땡큐!
비료
씨앗

가을이 되어 수확한 과일을 팔아 번 돈으로 외상값을 갚는 거야.
고마웠어!
가을
비료
씨앗

이처럼 돈을 받기 전에 신용을 바탕으로 상대방에게 필요한 물건을 먼저 건네주는 것을 신용 화폐라고 해.

외상 거래, 신용 거래가 가능해진 것도 수표나 어음 같은 신용 화폐 덕분이란다.
어 흥~!
어흥이 아니라 '어음'.

신용 화폐 덕분에 당장 돈을 마련하기 어려운 사람도
어쩌지? 돈이 들어오려면 아직 멀었는데.

손쉽게 상품을 생산하고 교환할 수 있어서 경제가 원활하게 돌아가는 거지.
돈 들어오면 갚으세요.

그러나 빚을 갚지 않으면 다음 번에는 절대로 신용 거래나 외상 거래를 할 수 없어.
저번에 빌려 간 돈부터 갚아!
돈 좀….

신용 화폐를 통한 거래는 자신의 신용을 바탕으로 이루어지기 때문에 책임감을 가지고 더더욱 신중히 거래해야 돼.
안 지키면 나처럼 돼.

*IMF – 국제통화기금. 세계 경제 발전을 도모하기 위해 설립한 국제 금융 결제 기관이다.
1998~1999년 우리나라에서 있었던 외환 위기를 가리키는 말로도 쓰인다.

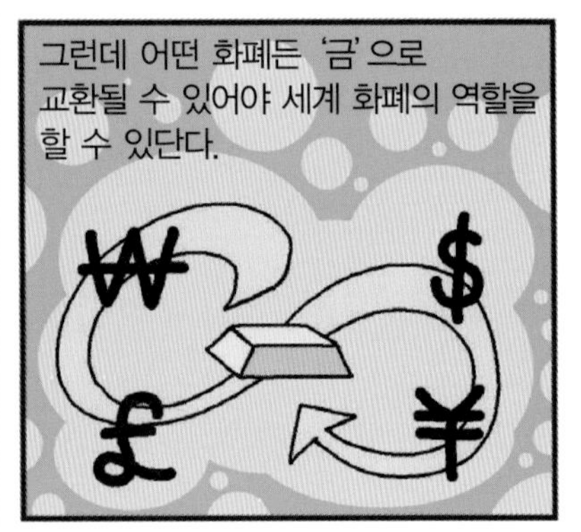

지금까지 우리는 화폐에 담긴 비밀을 모두 파헤쳐 보았어.
화폐

화폐가 가진 위력이 참 대단하지?
하하하

그런데 여기서 우리는 마르크스의 주장을 다시금 기억해야 돼.
화폐란 상품이 가진 가치를 표시해 주는 수단에 불과하다.
그런데도 사람들은 화폐 자체가 가치 있는 것인 양 착각하는 착시 현상에서 벗어나지 못하고 있다.

마르크스는 상품이 가치를 가지는 건 그 상품이 인간의 노동으로 만들어졌기 때문이지,

결코 화폐 때문이 아니라고 누누이 강조하고 있어.
100

하지만 자본주의 사회에서 화폐는 자본주의를 성공적으로 굴러가게 하는
자본주의

핵심 역할을 하기 때문에
화폐

화폐에 대한 사람들의 착시 현상은 쉽게 사라지지 않을 것 같아.
10000

그럼 다음 시간에는 화폐의 또 다른 이름인 '자본'에 대해 공부해 보자.
자본
화폐

화폐의 분류

화폐는 본질이 무엇이냐에 따라 금속 화폐와 명목 화폐로 나뉩니다. 그런가 하면 화폐의 액면가와 실제 화폐의 가치가 일치하느냐 아니냐에 따라 본위 화폐, 태환 화폐, 불태환 화폐로 나뉩니다. 자, 그럼 화폐를 본질과 가치로 구분하여 살펴봅시다.

▲ 스위스연방은행의 1kg 표준 금괴

1. 화폐의 본질에 따른 분류

① 금속 화폐(화폐 금속주의)

금속 화폐는 화폐 자체만으로도 소재 가치(素材價値)가 있어서 다른 사람이 화폐의 가치를 보증하거나 사용을 강요하지 않아도 화폐로서 기능합니다. 화폐 금속주의는 화폐의 본질을 '화폐 자체가 상품의 가치를 가지고 있으면서 동시에 다른 상품의 가치를 측정할 수 있는 것' 으로 보는 입장입니다.

② 명목 화폐(화폐 명목주의)

국가의 법적 강제에 의해 교환이나 유통 수단으로 사용되는 화폐를 말합니다. 화폐 명목주의는 화폐의 본질을 '화폐 자체는 상품의 가치를 갖지 않으면서 다른 상품의 가치를 측정하는, 추상적 기능만 하는 것' 으로 보는 입장입니다.

오늘날 우리가 사용하는 지폐는 모두 명목 화폐입니다. 명목 화폐는 정보통신과 컴퓨터 기술이 발달하면서 신용 카드, 인터넷 뱅킹을 이용한 전자 결제 등으로 새롭게 변모해 가고 있습니다.

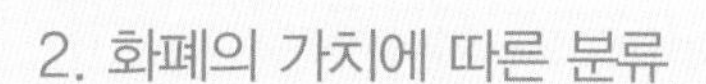

2. 화폐의 가치에 따른 분류

① 본위 화폐(금 본위 제도)

금화나 은화 같은 금속 화폐처럼 화폐의 액면가와 실제 화폐의 가치가 일치하는 화폐를 말합니다. 전 세계의 화폐는 제각기 서로 다른 가치를 가지고 있습니다. 따라서 국제 거래를 할 때는 각 나라 화폐들의 가치를 하나의 가치로 전환해 비교할 수 있는 기준이 있어야 합니다. 그 기준으로 가장 널리 사용되는 것이 금이며, 금을 기준으로 그 가치를 평가하는 화폐 제도를 금 본위 제도라고 합니다.

② 태환 화폐

금속 화폐는 주조하는 데 비용이 많이 들고 훼손될 가능성이 많으며, 휴대하기에 불편하다는 단점이 있습니다. 그래서 금화 대신 일정량의 금으로 태환(兌換: 바꾸어 줌)해 주겠다는 정부의 보증 아래 지폐를 발행하는데, 그것을 태환 화폐라고 합니다. 태환 화폐는 은행에서 그 가치만큼 돈으로 지급합니다. 즉 각 나라는 금을 보유한 만큼 태환 화폐를 발행할 수 있지요.

1971년 미국의 닉슨 대통령이베트남 전쟁 때 군사비 지출로 인한 경제 적자가 너무 커지자 태환 정지를 선언했습니다. 그로써 금 본위 태환 제도가 붕괴되었지요. 지금은 금 대신 미국의 달러가 태환의 기준 역할을 합니다.

▲ 오늘날 태환의 기준이 된 미국 달러

③ 불태환 화폐(불환 지폐)

현재 대부분의 나라에서 쓰이는 화폐는 금을 살 수는 있지만 정부가 금이나 은으로 교환해 주지 않는 불태환(不兌換) 화폐, 즉 불환 지폐입니다. 국가는 불환 지폐를 발행해 법적 강제력으로 통용시킵니다. 이러한 불환 지폐는 금 보유량과는 전혀 관계없이 발행되며, 사람들 사이의 신용과 약속에 의해 유지됩니다.

제5장 자본이란 무엇일까?

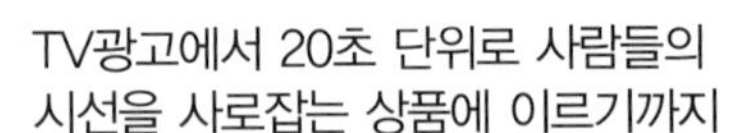

그렇다면 상품을 팔아 돈을 벌고 싶은 이들은 과연 누구일까?
부자

부자가 되고 싶은 열망이 가장 강한 사람은 아마도 그 상품을 생산하고, 판매하는 사람 즉 '자본가' 일 거야.
유후!
자본가
부자

자본가는 존재 목적 자체가 '돈을 버는 것' 인 사람들이지.
1000

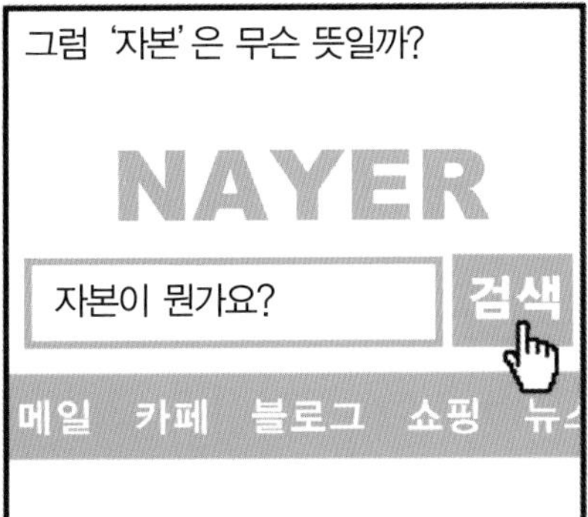
그럼 '자본' 은 무슨 뜻일까?
NAYER
자본이 뭔가요?
검색
메일 카페 블로그 쇼핑

또 자본과 화폐는 어떻게 다를까?
화폐
자본
똑같아 보이는데….

이번 강의에서는 바로 이 질문에 대한 답을 찾을 거야.
자본
화폐

이미 지난 강의에서 배운 것처럼, 인간의 노동이 상품의 가치를 만들어 내고, 그 가치를 표시하는 수단은 화폐였어.
100
100
10000

그리고 이제 화폐가 자본으로 화려하게 변신하는 과정에 담긴 엄청난 비밀!
자본으로 변신이다!

그것을 하나하나 파헤쳐 보자는 거야.
자본
밑줄 쫙! 별표 두 개!

자, 그럼 본격적으로 '자본' 에 대한 강의로 들어가 보자.
자본

그래, 맞았어! 상품을 판매해 화폐를
얻고, 이 화폐로 다른 상품을 구매하는
과정이었지.

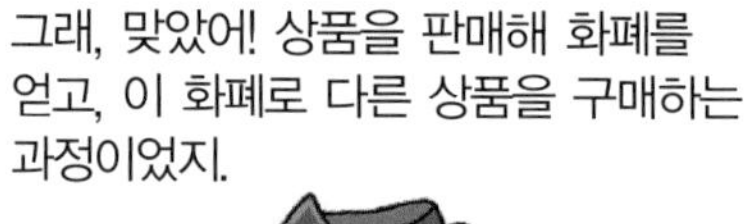

그럼 돈을 벌게 해 주는
'유통 과정'이란 어떤 것일까?
1000
1000
1000
1000
1000
1000

마르크스는 이 과정을 상품 유통과
구별하여 '화폐 유통' 혹은 '자본
유통'이라고 불렀어.
화폐
유통아~!
화폐유통

돈을 벌 수 있는
유통 과정이지.

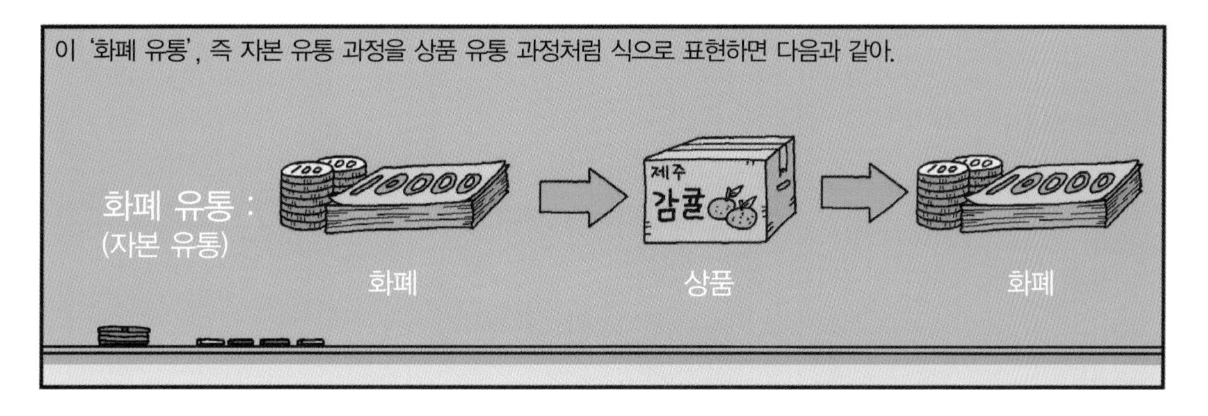
이 '화폐 유통', 즉 자본 유통 과정을 상품 유통 과정처럼 식으로 표현하면 다음과 같아.
화폐 유통 :
(자본 유통)
화폐
제주
감귤
상품
화폐

상품 유통 공식과 뭐가
달라졌는지 알겠니?

그래. 상품 유통은 유통 과정의
양 끝이 '상품'이었지만

화폐 유통에서는 양 끝이 '화폐'라는
거야.

그래서 화폐 유통이라고 하지.
화폐 유통

그럼 이 화폐 유통의 뚜껑을
열어 볼까?
화폐
유통

화폐 유통도 상품 유통처럼
두 과정으로 나눌 수 있어.
1
2

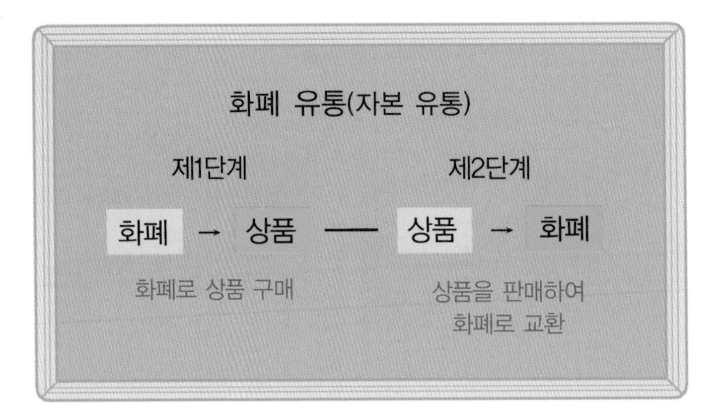
화폐 유통(자본 유통)
제1단계
제2단계
화폐 → 상품 —— 상품 → 화폐
화폐로 상품 구매
상품을 판매하여
화폐로 교환

예를 들어, 어떤 사람이 화폐 100원으로 가죽을 구매해서
제1단계!

신발이라는 상품을 만든 다음
예술이다, 예술!

이 신발을 화폐 110원을 받고 판매했다면,
제2단계!
유후~

이 화폐 유통 과정을 거치면서 처음 화폐 100원은 나중 화폐 110원으로 증가하지.
100
화폐 유통 과정

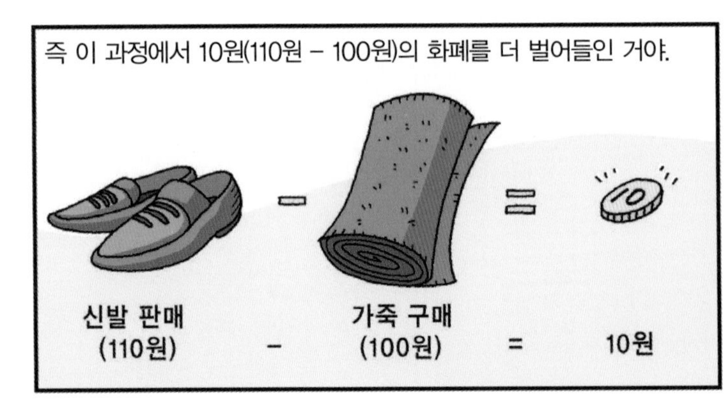
즉 이 과정에서 10원(110원 – 100원)의 화폐를 더 벌어들인 거야.
신발 판매 (110원) – 가죽 구매 (100원) = 10원

이렇게 늘어난 화폐 10원을 '잉여 가치'라고 부른단다.
오, 나의 잉여 가치!

드디어 마르크스 경제학에서 가장 중요한 용어인 잉여 가치가 등장했어.
잉어 가치?
너 말고!

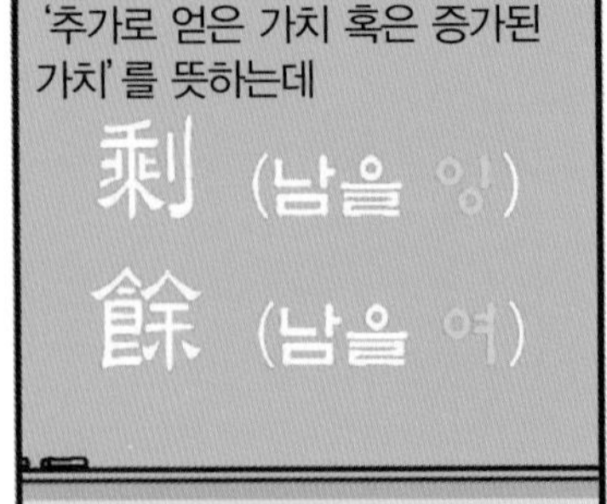
잉여 가치는 화폐의 유통 과정에서 '추가로 얻은 가치 혹은 증가된 가치'를 뜻하는데
剩 (남을 잉)
餘 (남을 여)

이것은 정말 자주 사용하는 말이니까 꼭 기억해 두도록!
잉어가 아니라 '잉여'라고….
잉어 잉어
잉어 잉어 잉어..

그럼 이제 자본을 정복해 볼까?
자본

화폐 유통에서 보았듯이 '잉여 가치'를 얻을 목적으로 투자한 화폐를 일반 화폐와 구별해서 '자본'이라고 불러.
잉여 가치
자본

돈을 벌기 위해 투자한 화폐,

즉 화폐의 증가를 가져다 주는 화폐인 거지.

'자본'의 존재 이유는 이 잉여 가치를 얻는 거라고 할 수 있어.
잉여 가치
자본 주의

상품이 돌고 도는 상품 유통에서 화폐는 상품의 가치를 나타내는 일반 화폐에 불과하지만,
100
10000

화폐가 돌고 도는 화폐 유통에서 화폐는
100
10000

화폐의 증가,
100

즉 잉여 가치를 가져오는 화폐로, 특별히 '자본'이라고 부른단다.
자본
잉여 가치

이것도 무척 중요하니까, 꼭 기억하자!

이! 대목에서 우리가 늘 하던 대로 몇 가지 응용 문제를 풀어 볼까?
"늘 풀던"
응용 문제

잉여 가치를 벌기 위해 투자한 화폐, 즉 돈을 낳는 화폐를 '자본'이라고 하면

이런 자본을 가진 사람을 뭐라고 부를까?
주인님?

정답은 바로 '자본가'야.
바로 나야!

그럼 조금 더 깊이 들어가서 자본주의란 무슨 뜻일까?
자본가
자본주의

자본가들이 자본을 가지고 잉여 가치를 얻기 위해 상품을 생산하고 판매하는 것을 말해.
잉여 가치
생산
판매

이렇게 자본이란 단어 하나를 알면, 잉여 가치, 자본가, 자본주의까지 한 번에 이해할 수 있단다.
자본주의
잉여 가치
자본가
자본

잉여 가치를 낳는 화폐를 자본,
나?

자본을 가진 사람을 자본가,
자본

자본가들이 자본을 투자해 상품을 생산하고 판매해서 잉여 가치를 얻는 것을 자본주의라고 하는 거지.
이제 곧 알을 얻겠지!

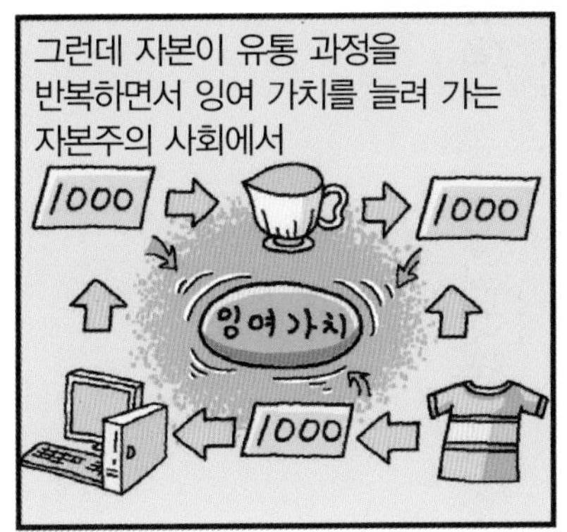
그런데 자본이 유통 과정을
반복하면서 잉여 가치를 늘려 가는
자본주의 사회에서
1000
1000
잉여가치
1000

자본가들은 잉여 가치를 늘려 점점 더
막대한 부를 쌓아 가는 걸 목표로
삼는단다.

그런데 왜 화폐, 즉
자본의 유통 과정에서
잉여 가치가 생기는
것일까?

하늘에서 뚝 떨어진 건
아닐 테고….
옜다.
받아라!
잉여
가치
아이쿠,
감사합니다.

상품 가격을 비싸게 속여 팔아서
그런 걸까?
원래는 천 원
짜리인데.

물론 그런 사람도 몇몇 있겠지만
20만 원짜리를
10만 원에 드릴게요.
와,
싸다!

모든 상품 판매가 그런 거짓말과
사기로 이루어질 수는 없어.
착하게
살걸….

그럼 대체 어떤 비밀이 숨어 있는
걸까? 지금부터 잉여 가치의 출생
비밀을 알아보도록 하자.
잉여가치

잉여 가치의 비밀을 밝히는 것은
마르크스 경제학의 핵심 중
핵심이야.

잉여 가치가 어디서 오는가를 밝힌
마르크스 이론을 노동 가치설 혹은
잉여 가치설이라고 부르는데,
"잉여가치설"
"노동가치설"

마르크스가 다른 경제학자들과 가장
많은 논쟁을 벌인 이론이기도 하지.

지금부터 이 과정을
조심스럽게 살펴볼
거야.
쉬이이잇~

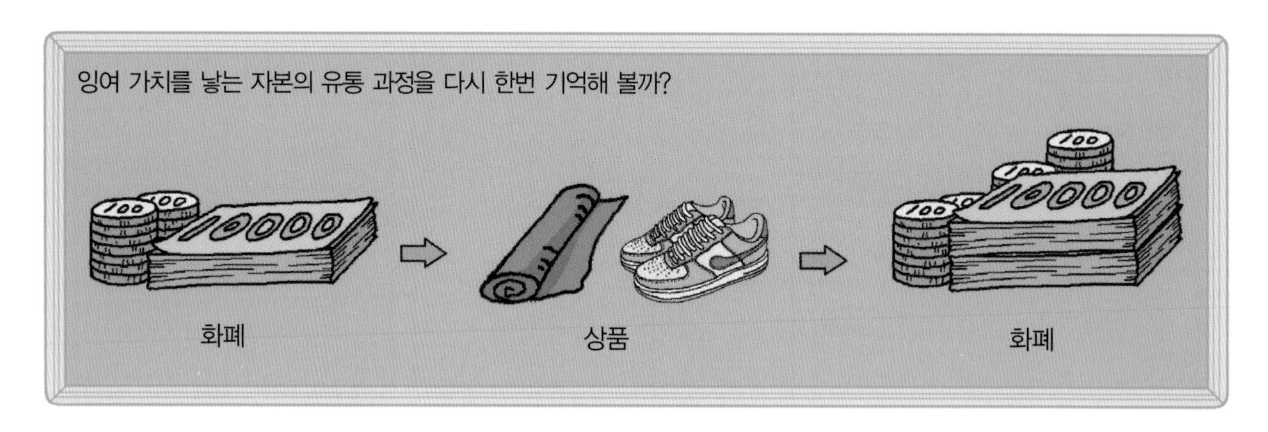
잉여 가치를 낳는 자본의 유통 과정을 다시 한번 기억해 볼까?
화폐
상품
화폐

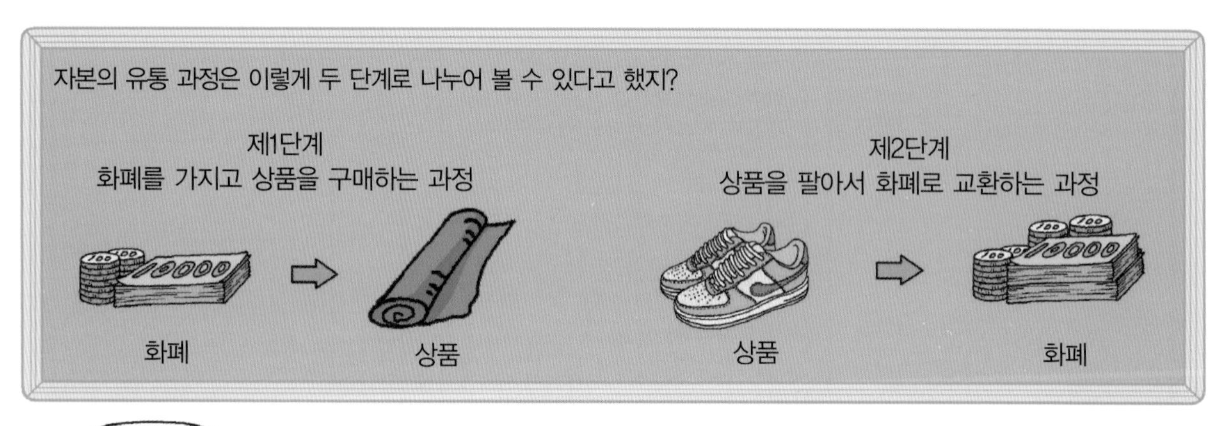
자본의 유통 과정은 이렇게 두 단계로 나누어 볼 수 있다고 했지?
제1단계
화폐를 가지고 상품을 구매하는 과정
제2단계
상품을 팔아서 화폐로 교환하는 과정
화폐
상품
상품
화폐

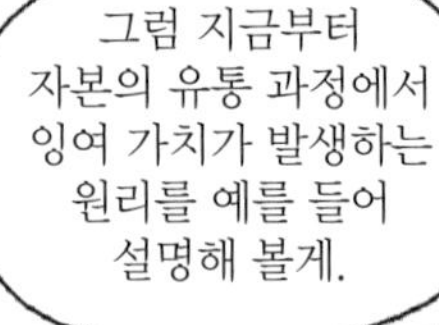
그럼 지금부터
자본의 유통 과정에서
잉여 가치가 발생하는
원리를 예를 들어
설명해 볼게.

어떤 자본가가 가지고 있던 화폐로

청바지 원단과 지퍼, 단추, 재봉 기계를
구입하고,

재봉 기계를 잘 다루고 재단을
잘하는 노동자를 고용했다면,

이 과정이 바로 자본의 유통 과정 중 제1단계, 즉 화폐를 가지고 원료와 기계,
노동자의 노동력을 상품으로 구매하는 단계란다.
제1단계

그리고 이 자본가가 청바지 상품을 시장이나 백화점에 판매해 화폐를 벌어들였다면
△×백화점

이 과정은 자본의 유통 과정 중 상품이 화폐와 교환되는 제2단계가 되지. 여기까지는 앞에서도 이야기했으니 어렵지 않을 거야.
자, 자…
청바지 값 주세요.

그럼 자본 유통의 제1단계와 제2단계 사이에 어떤 과정이 숨어 있는지 대답할 수 있겠니?
2단계
?
1단계
자본 유통

이 질문에 별 하나가 걸려 있단다. 아주 중요한 발견이기 때문이지.
다시 등장!

이 질문을 맞히면 별 4개를 확보하는 거야.
마르크스 박사가 멀지 않았는걸!

그렇지! 바로 청바지 원단과 지퍼, 단추, 재봉 기계, 노동력이라는 상품을 가지고
LEVIS

청바지라는 완성된 상품을 만들어 내는 '생산 과정'이 숨어 있는 거야.

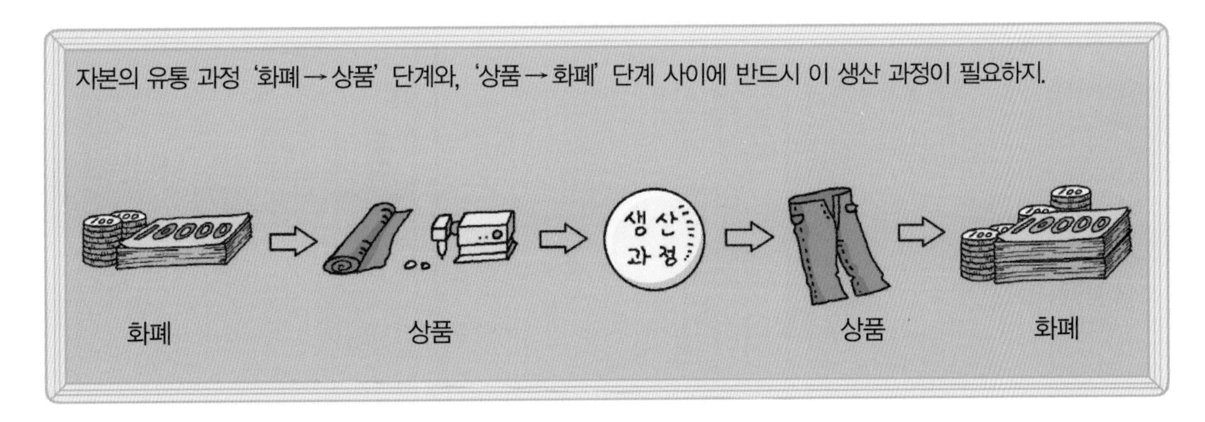
자본의 유통 과정 '화폐 → 상품' 단계와, '상품 → 화폐' 단계 사이에 반드시 이 생산 과정이 필요하지.
10000
생산 과정
화폐
상품
상품
화폐

자본의 유통 과정에서 제1단계의 상품은 생산 수단인
원료와 재료, 기계, 노동력 같은 상품을 의미하고,

제 1 단계 상품

아직도 감을 못잡은 친구들을
위해 다시 한번 복습해 보자.

자본가가 상품을 생산하기 위해
'화폐'를 가지고

상품을 생산하는 데 필요한 원료와 기계,
노동력을 구매해.

그리고 원료와 기계, 노동자를
이용해 열심히 상품을 만들지.

이렇게 만든 상품을 시장이나
백화점에서 판매하면,
오마트

처음 투자한 화폐보다 더 늘어난
잉여 가치를 얻는다고 했어.
₩
잉여 가치

그리고 잉여 가치는 다음 중 어느 단계에서 생겨난다고 했더라?
1
자본가
2
원료 및 기계
3
노동자
4
백화점 직원

그렇지! 정답은 바로 3번. 생산 과정에 있는 노동자야. 이것이 자본에 숨겨진 가장 중요한 비밀이란다.
자본가
원료 및 기계
3
노동자
백화점 직원

자본론에 의하면 잉여 가치를
탄생시킨 주역은 노동자,
두 말 하면
잔소리!
WORK

구체적으로 노동자의 노동이야.

즉 화폐를 자본으로 변신시켜 주는
장본인이 노동자라는 말씀이지.
자본으로
변해라, 얏!
펑!

그리고 이것이 마르크스의 잉여 가치설
혹은 노동 가치설이야.

그런데 이런 노동 가치설을 반대하는 사람들이 있단다.
누가 막아
놓은 거야!
마르크스 통행 금지

당연히 자본가들과 이들을 지지하는 경제학자들이지.

이들은 노동자만이 잉여 가치를 만들어 낸다는
마르크스의 주장에 반대했어.
마르크스의 주장은
말이 안 된다.

그러면서 잉여 가치는 자본가들의
노력으로도 만들어진다고 주장했지.
우리도
잉여 가치를
만들어 낸다고!
이거 왜 이래?
억울해~.

급기야 마르크스와
논쟁을 벌였단다.

그 내용은 뒤에서 자세히
공부하기로 하고 지금은 패스!
PASS

노동력과 임금을 교환하는 것처럼
보일지 몰라.

농사로는 더 이상 경제적인 이득을 얻을 수 없었던 지주들이

그럼 노동력의 가치(가격)인 임금은 어떻게 정해질까?
노동력

노동력도 상품처럼 팔고 살 수 있다면 당연히 가치를 가질 거야.

그런데 이미 앞에서 상품의 가치는 상품을 만드는 데 들어간 노동량, 즉 노동 시간에 의해 결정된다고 배웠지?

그럼 노동력도 하나의 상품이니까 노동력의 가치는 노동력을 만드는 데 들어간 노동 시간에 의해 결정될 거야.
아르바이트
시간당: 5000
구인광고
영업직
벼루시장
맛나 족발

'노동력을 만드는 데 들어간 노동 시간'이라니 이해가 안 돼요!

쉽게 설명해 줄게. 노동력을 판매하고 받는 '임금'이라는 것은
오늘 일당이구나!

노동력을 건강하게 재충전하기 위해 쌀도 사고, 반찬도 사고, 옷도 사고, 때론 영화도 보고, 결혼도 하고, 자녀도 낳아 기르는 등 일상생활을 하는 데 꼭 필요한 돈을 의미해.
SUPERNAM

그리고 노동자는 받은 임금만큼의 노동 시간 동안 노동을 해서 가치를 생산해 내지.
10000

따라서 노동자가 일한 노동 시간을 노동력의 가치, 즉 임금이라고 하는 거야.
한 시간 일한 사람은 천 원.
두 시간 일한 사람은 2천 원.

*재생산 – 생산 과정이 끊임없이 되풀이되는 일.

비참한 상황에 빠지고 말 거야.

더군다나 노동력 말고는 달리 팔 수 있는 게 없는 노동자가 굶주림과 열악한 환경 때문에 신체의 건강을 잃는다면 노동력마저도 더 이상 팔 수 없는 지경에 이를 수도 있어.
1000
10

그럼 거꾸로 19세기 당시 영국의 노동자들이 가난과 배고픔에 시달리며
켁
가난
배고픔

비참한 생활을 했다는 건 무슨 뜻일까?

바로 노동자들이 자신의 노동력을 건강하게 재생산할 만큼의 임금을 받지 못했다는 얘기야.

그래서 마르크스는 노동자들이 제대로 된 임금을 받지 못하고
나보다 못한 생활을 하네.

혹사당하는 당시의 현실을

《자본론》을 통해 알리고 싶었던 거지.
자본론
자본론
마르크스

그럼 노동자들이 제대로 대가를 받지 못하고 혹사당하는 '생산 현장'으로 들어가 보자.
힘들어!
생산현장
에구구!

인클로저 운동과 산업 혁명

▲ 토마스 모어

《유토피아》를 쓴 영국의 작가 토마스 모어(Thomas More, 1478~1535)는 18세기 영국 사회를 가리켜 '양이 사람을 잡아먹는 사회' 라고 풍자했습니다. 양이 사람을 잡아먹다니! 당시 영국에서는 대체 무슨 일들이 벌어졌던 것일까요?

18세기 영국에서는 모직물 공업과 무역이 활발해지면서 양모 수요가 엄청나게 증가했습니다. 그러자 토지 소유주들은 큰 수익이 보장되는 양모를 얻기 위해 농경지를 목장으로 바꾸는 일을 대대적으로 벌였습니다. 그러면서 소작농들을 강제로 내쫓았지요. 농민들이 나가지 않겠다고 버티면 마을을 불태우는 일까지 서슴지 않았습니다. 이렇게 농경지에 울타리를 쳐서 농민들을 내쫓고 양을 방목하는 목장으로 바꾼 것을 '인클로저(enclosure) 운동', 이른바 '울타리치기' 라고 합니다. 농민들이 살던 땅을 수십 만 마리의 양들이 차지했으니 토머스 모어의 표현대로 '양이 사람을 잡아먹은' 셈이 된 것이지요.

인클로저 운동은 18세기에 두 차례 일어났습니다. 이 운동으로 인해 농촌은 황폐화되었습니다. 사람들은 삶의 터전을 잃고 일자리를 찾아 헤매거나, 도둑질을 일삼다 사형에 처해졌습니다. 거리는 배고픔과 가난에 찌든 사람들로 넘쳐났지요. 정부는 처음엔 인클로저 운동을 금지했지만 돈벌이에 급급한 토지 소유주들을 막을 수 없었습니다. 그래서 나중에는 정부마저도 저항하는 농민들을 무력으로 진압하며 인클로저 운동을 지원하기에 이르지요.

▲ 제임스 와트

한편 18세기 중엽 영국에서는 제임스 와트(James Watt, 1736~1819)가 발명한 증기 기관이 처음으로 면직물 공업에 도입되어 생산량이 엄청나게 증가했습니다. 그러면서 수공업에서 공장제 기계 공업으로 급속히 전환해 갔지요. 이른바 산업 혁명이 도래한 것입니다. 인클로저 운동으로 더 이상 농촌에서 살 수 없게 된 농민들은 도시로 몰려가 공장제 기계 공업의 노동력으로 흡수되었습니다.

인클로저 운동과 산업 혁명은 자본주의의 탄생 배경이 되었습니다. 양모 생산과 무역을 통해 모은 자본으로 생산 수단과 노동력을 구입해 상품을 생산하고 이윤을 벌어들이는 자본가(부르주아, bourgeois)와, 자본가들에게 임금을 받고 노동력을 팔아 그 돈으로 살아가는 노동자(프롤레타리아, proletariat)로 양분화된 사회가 도래한 것이지요.

▲ 제임스 와트가 발명한 증기 기관

제6장 절대적 잉여 가치란 무엇일까?

수없이 강조해서 첫 구절만
말하면 자동으로 입에서
술술 나와야 하는 말,
상품의 가치는?

인간의 노동으로 만들어진다!

그렇지!
그럼 잉여 가치를
만들어 내는 것은?

노동자의 노동이오!
너무 쉬워요~.

잘했어! 지금부터 이 말이 지닌
의미를 자세히 알아볼 거야.

자, 그럼 잉여 가치를
생산하는 현장으로
Let's go~!

여기는 청바지를 생산하는 공장이야.

저 많은 청바지를 생산하기 위해
자본가가 구입했던 두 가지 상품이
무엇인지 말해 볼래?

그래. 청바지를 만드는 데 필요한
생산 수단과 노동자의 노동력이지.

지금부터 생산 수단과 노동력으로
청바지를 생산하는 과정을
설명할 거야.

물론 여러분이 이해하기 쉽게
예를 들어 설명할 테니
긴장하지는 마.
휴~,
다행이다.

100원의 가치는 반드시 청바지 가격에 반영할 거라는 점이지!

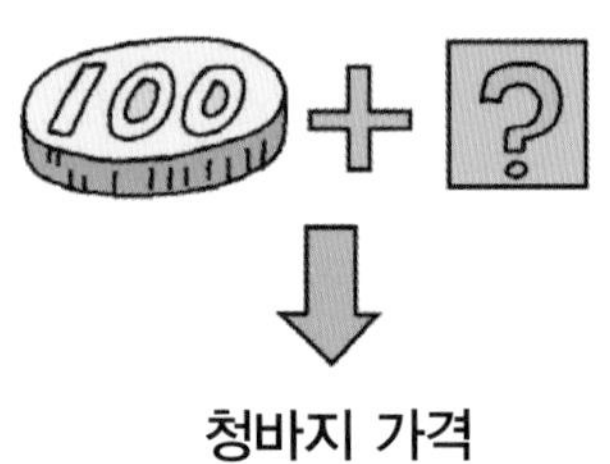

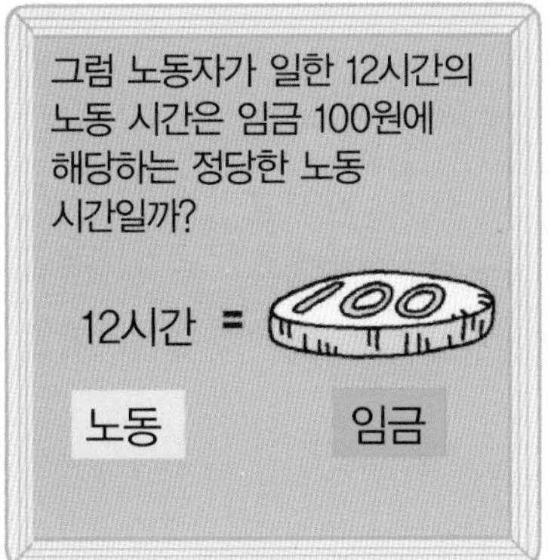

만일 임금 100원에 해당하는
'필요 노동 시간' 이 6시간이라고
하면

임금	필요 노동 시간
100원	6시간

그런데 왜 강제로
더 하나요?

당시 임금을 받는다는 건 자신의 노동력을 마음대로 사용할 권리를 넘겨주는 것과 같았어.
100
노동력

그러니 노동자는 자본가가 시키는 대로 노동을 해야 했지.
빨리
일해!
싫어, 안 해!
탁!

그것을 거부하면 노동자 앞에 기다리는 건 '해고' 뿐이었어.
싫으면
나가!

이미 말했듯이 노동자는 자신의 노동력밖에 팔 게 없는 사람들이기 때문에
100원

일자리를 잃는다는 것은 매우 두려운 일이었단다.
해고당하지 않으려면
억울해도 더 일해야지.

마르크스는 자본가가 노동자에게 잉여 노동을 강요하는 것을 '노동자에 대한 착취'라고 표현했어.
으흐흐흐….
저건
착취다!

듣기에도 좀 살벌한 말인 착취는 노동자에게 강제로 노동을 시켜,
빨리 해!

생산된 이익을 자본가가 빼앗아 차지하는 것을 뜻해.

그럼 자본가는
왜 노동자를
착취하나요?

잉여 노동을 시켜야 자본가에게 더 큰 이익이 돌아오기 때문이지.
이익
잉여 노동
잉여 노동

청바지 가격을 결정하는 문제로 다시 돌아와서

노동자가 100원의 임금을 받고
12시간의 노동을 하여
100
12시간

얼마만큼의 가치를 생산해 내는지
알아보자.
가치
가치

100
6시간
임금 100원에 해당하는
노동자의 필요 노동 시간을
6시간이라고 한다면,
100
100
6시간
6시간
12시간 동안 노동자가
생산한 가치는 총 200원이 돼.
6시간의 필요 노동 시간에 생산한 가치 = 100원(임금)
6시간의 잉여 노동 시간에 생산한 가치 = 100원(임금)
12시간의 노동 시간에 노동자가 생산한 총 가치
= 100원 + 100원 = 200원

이때 강제로 더 일한 6시간 동안
생산한 100원은 '잉여 가치'야.
100
잉여 가치

잉여 노동 시간에 생산한
가치라는 의미지.
필요노동시간

그리고 노동자의 노동력을
사기 위해 투자한 임금은
잉여 가치를 생산하여

자본가가 투자한 자본보다 더 많은 이익을
벌어다 주기 때문에
필요노동시간

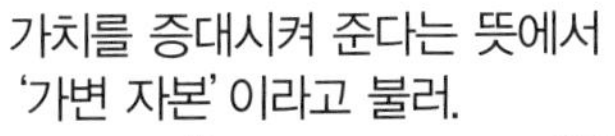
가치를 증대시켜 준다는 뜻에서
'가변 자본'이라고 불러.

가변 자본

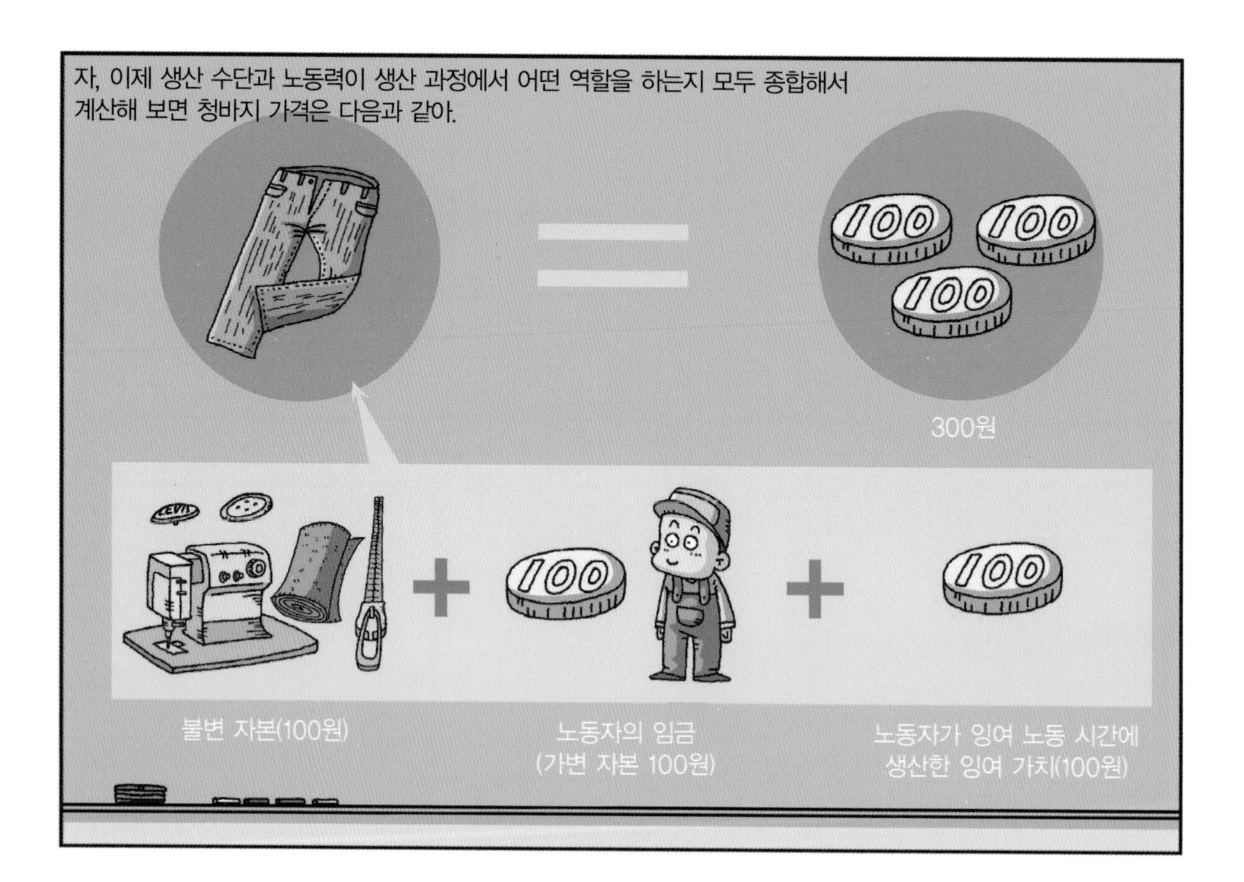
자, 이제 생산 수단과 노동력이 생산 과정에서 어떤 역할을 하는지 모두 종합해서 계산해 보면 청바지 가격은 다음과 같아.
300원
불변 자본(100원)
노동자의 임금
(가변 자본 100원)
노동자가 잉여 노동 시간에
생산한 잉여 가치(100원)

이처럼 상품의 가격은 불변 자본과 가변 자본에 잉여 가치를 더해 결정하지.
불변 자본
가변 자본
잉여 가치
상품의 가격

그런데 자본가는 청바지를 생산하기 위해 자본 200원을 사용했는데,

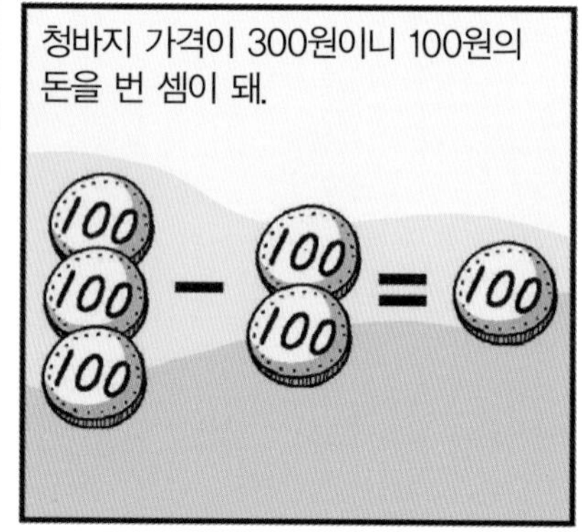
청바지 가격이 300원이니 100원의 돈을 번 셈이 돼.

그럼 자본가가 번 이 100원을 무엇이라고 할까?
100원 벌었다!

그래. 바로 잉여 가치야.
아! 잉어 가치!
잉어가 아니라 '잉여'

그리고 이 잉여 가치는 생산 과정에서 노동자의 잉여 노동에 의해 생산되었지.
헉 헉
잉여 가치
잉 여 노 동

그럼 잉여 가치 100원은
그것을 생산한 노동자가
가져갈 수 있을까?
잉여
가치

그럴 수 없단다.
어라!
펑

노동자는 임금을 받으면서 이미
자신의 노동력에 대한
모든 권리를 자본가에게
넘겼기 때문에
권리

자신이 생산한 잉여 가치를
달라고 항의하거나
우리에게도
잉여가치를 주라!

자본가가 하라는 대로 잉여 노동을
하지 않고,
필요 노동 시간을
일했으니 집에
갈게요!

임금에 해당하는 시간만 노동을
하면 당장 해고되어
해고장
내일부터
나오지 마용
사장백

추운 겨울에 온 가족이 길바닥으로 내몰리는
상황에 놓이고 말 거야.
한 푼
줍쇼.

자, 이제 상품의 가격이 어떻게 결정되는지 알았고,
불변 자본
가변 자본
잉여 가치

노동자가 생산한 잉여 가치가 어떻게 자본가의 금고 속으로
들어가는지도 알았지.
잉여
가치

그런데 여기서 풀어야 할 숙제가
하나 더 남아 있단다.

임금에 해당하는 필요 노동 시간은 그대로 놔두고 잉여 가치를 생산하는 잉여 노동 시간을 1시간, 2시간, 3시간… 9시간, 10시간 등으로 계속 늘리면

잉여 노동 시간	1시간당 20원의 가치 생산	잉여 가치
1시간	20 × 1	20원
2시간	20 × 2	40원
⋮	⋮	⋮
9시간	20 × 9	180원
10시간	20 × 10	200원

그러나 자본가들의 입장에서는 한 순간이라도 기계를 멈추고 생산을 중단하는 걸 상상할 수 없지.
아이구, 아까워~! 기계를 멈추다니!

왜냐고? 노동 시간이 잉여 가치, 곧 돈을 낳는 황금알이니까.

생산을 중단하여 돈버는 일을 포기한다면 이미 자본가가 아닐 거야.
가만 있자…, 좋은 방법이 있을 거야.
잉여가치 더 벌기

그래서 자본가들이 고안한 방법이 있지. 바로 '교대 근무'란다.
그래! 교대 근무!

여러분도 들어 본 말이지? 엄마 아빠가 교대 근무로 일하시는 친구들도 있을 거야.

교대 근무는 24시간 내내 노동을 하게 해서 생산이 중단되지 않게 하는 방법인데,
교대야.
헉
헉

노동자를 두 그룹으로 나눠 한 그룹은 아침부터 저녁까지,

다음 그룹은 저녁부터 다음날 아침까지 교대로 노동을 시키면,

기계를 24시간 내내 가동시킬 수 있으니까
위잉
위이잉

잉여 가치가 끊임없이 생산되지.
와 하 하 하
잉여 가치

하지만 노동자들은 낮과 밤이 바뀌어 힘들어질 거야.
지금이 낮이냐, 밤이냐?

자본가들은 교대 근무 말고도 잉여 가치의
절대량을 늘리는 방법을 또 개발했단다.
이걸로 끝나면
섭하지~.
또
있어?

가끔 TV에서 부품들이 자동으로 움직여 노동자 앞에 오도록
만든 컨베이어 벨트를 본 적이 있을 거야.

이 컨베이어 벨트의 속도를
조금이라도 높이면
FAST
SLOW

노동자들은 그 속도에 맞춰 노동 속도를
빨리 할 수밖에 없어. 그러니 같은 노동
시간에 더 많이 일하게 되지.

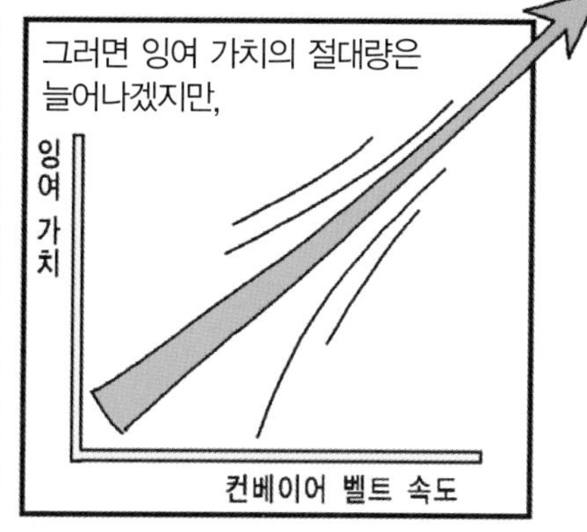
그러면 잉여 가치의 절대량은
늘어나겠지만,
잉여 가치
컨베이어 벨트 속도

노동자들은 컨베이어 벨트 속도에
맞추다가
파바바박

녹초가 되고 말 거야.
멍~
손이 안 멈춰!
다다다
다다다

교대 근무나 컨베이어 벨트는
요즘 우리에게도 익숙한 노동
형태야. 그런데 마르크스는 이것이
교대 근무
컨베이어 벨트

잉여 가치를 늘리려는 자본가들의 의도에서
비롯되었고,
활
활
잉여
가치
교대 근무
컨베이어 벨트

그 결과 착취의 강도가 높아져
노동자들이 중노동에 시달리게
되었다는 데에 주목했어.
지켜보고
있다!

*시발점 – 일이 처음 시작되는 계기.

우리나라도 최근에서야 주5일 근무에 주 40시간 법정 노동 시간을 정했어.

동서양을 막론하고 노동자들은 수세기에 걸쳐 자본가와 험난한 투쟁을 해 왔어.

노동자의 노동 시간이 잉여 가치를 낳는 원천이라는 걸 양쪽 모두 알고 있기 때문이지.
노동
시간
잉여가치

마르크스가 '만국의 노동자여, 단결하라.' 고 《공산당 선언》에서 외친 것도
만국의 노동자여, 단결하라.

자본가의 착취에 맞서 권리를 지켜 내려면
어서 일하지 못해?
앗

노동자들이 조직적으로 뭉쳐 단결된 힘을 보여 줘야 한다는 걸 노동자들에게 일깨워 주기 위해서였어.
합체

그러나 노동 시간 단축을 요구하는 노동자들의 저항에도 불구하고 잉여 가치를 향한 자본가의 욕망은 약해지지 않았어.
흐흐흐흐…
잉여가치

잉여 가치를 만들어 내는 기막힌 방법들이 무수히 많았으니까.
잉여 가치 늘리는 방법

그럼 다음 시간에는 잉여 가치를 만들어 내는 또 다른 방법에 대해 알아보도록 하자.
교대 근무
컨베이어 벨트
?

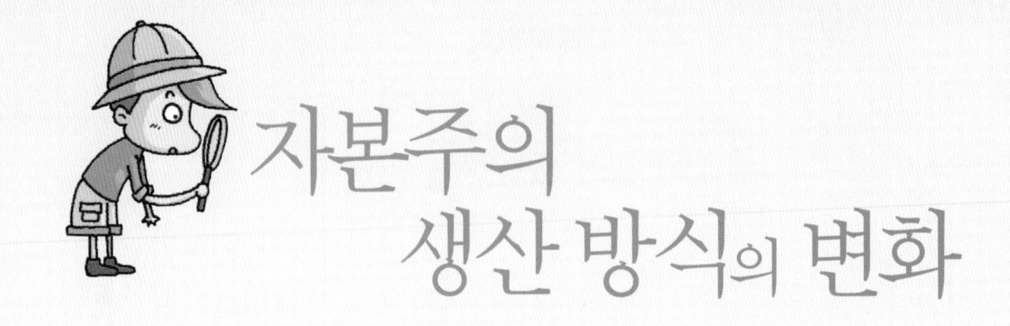

자본주의 생산 방식의 변화

자본가들은 보다 많은 이윤을 얻기 위해 끊임없이 생산 방식을 혁신해 왔습니다. 자본주의 발전 단계마다 생산 방식이 어떻게 변화해 왔는지 알아볼까요?

단순 협업

단순 협업은 자본주의 초기에 등장한 생산 방식입니다. 그전까지 개별적으로 생산해 오던 수공업자들이 자본가가 마련한 작업장에 모여 생산에 필요한 도구와 수단을 공동으로 사용하면서 수공업 방식 그대로 상품을 생산한 것이지요.

단순 협업을 도입하자 한 사람이 30일 동안 개별적으로 생산한 양보다 30명의 노동자가 한 작업장에 모여 하루에 생산한 양이 훨씬 많았습니다. 자본가들은 더 많은 상품을 더 싸게 생산할 수 있게 되었지요. 뿐만 아니라 균일한 품질의 상품을 안정적으로 생산할 수 있어서 개별 수공업자들에 비해 더 많은 잉여 가치를 확보할 수 있었습니다.

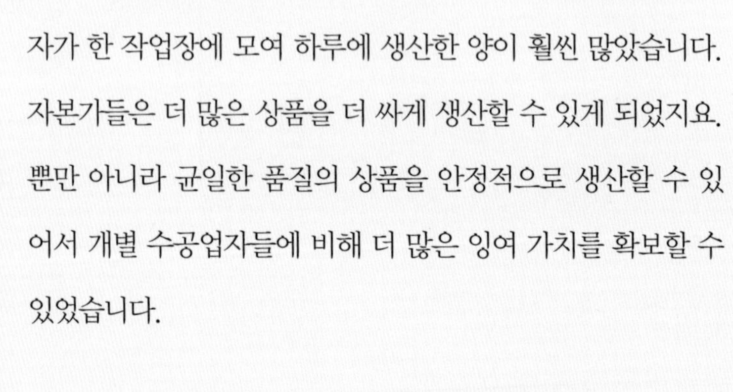

▲ 19세기 방적 공장의 모습

공장제 수공업

단순 협업은 16세기 중엽부터 '공장제 수공업'이라는 생산 방식으로 변화했습니다. 공장제 수공업이란 '분업'을 도입한 방식입니다. '분업'이란 노동자가 한 종류의 상품을 생산하는 전 과정에서 한 과정만을 전담하여 생산하는 방식입니다.

'분업' 을 통한 공장제 수공업 방식은 '단순 협업' 에 비해 월등히 높은 생산량을 가져왔습니다. 그에 따라 자본가의 잉여 가치도 엄청나게 늘어났지요. 하지만 반대로 노동자들의 입장에서 보면, 동일한 노동 시간에 더 강도 높은 노동을 하게 되어 결과적으로 더 많은 잉여 노동을 하게 되었습니다.

공장제 기계 공업

공장제 기계 공업은 이제까지의 어떤 생산 방식과도 비교할 수 없을 만큼 생산량 면에서 엄청난 증가를 가져왔습니다. 하지만 치명적인 한계를 내포하고 있었지요. 이전의 단순 협업이나 공장제 수공업에서는 적어도 생산 주체는 사람, 즉 노동자였습니다. 그런데 공장제 기계 공업에서는 생산의 주체가 사람이 아닌 '기계' 로 바뀌었지요. 노동자들의 처지는 기계 부속품 정도로 점점 전락해 갔습니다.

미국의 영화배우이자 감독인 찰리 채플린(Charles Spencer Chaplin, 1889~1977)이 1936년에 만든 영화 〈모던 타임스(Modern Times)〉를 보면, 전기 공장 노동자 찰리가 컨베이어 벨트 앞에서 한시도 쉬지 못하고 나사 조이는 노동에 시달립니다. 찰리는 점점 더 빨라지는 컨베이어 벨트의 작업 속도를 따라가지 못해 결국 기계의 톱니바퀴 속으로 빨려 들어가지요.

▲ 1936년 미국의 자본주의 생산 방식을 비판한 영화 〈모던 타임스〉

공장제 기계 공업은 노동 생산성을 엄청나게 증가시켜 자본가에게 더 많은 잉여 가치를 가져다 주었습니다. 하지만 그에 반해 영화 속 찰리 같은 노동자들은 상상할 수 없을 만큼 강도 높은 노동 착취에 시달려야 했으며, 기계 도입에 따른 대량 실업으로 고통 받아야 했지요.

제7장 상대적 잉여 가치란 무엇일까?

노동 시간을 단축하라는 노동자들의 저항이 날로 거세지고,
단축하라!
단축하라!

정부에서 공장법과 노동법을 제정해 감독관을 파견하는 등
잘 지키고 있나?

안팎에서 가해지는 압력이 점점 커져가자 자본가들은 고민하지 않을 수 없었어.
단축하라!
단축!
단축!
단축!
아우! 시끄러워!

어떻게 하면 노동 시간을 늘리지 않으면서 잉여 가치를 늘릴 수 있을까 하는 고민 말이야.
노동 시간
잉여 가치

노동 시간을 늘릴수록 노동자들의 저항과 정부의 감시가 점점 더 심해지니 자본가들의 고민은 이만저만이 아니었지.
노동자
국가

노동자들을 착취하는 흡혈귀라는 비난을 받지 않으면서도

잉여 가치를 늘리는 기발한 방법은 없을까?
있을까?
없지?
없어?
없으려나?
있나?
없을까?
없으려나?
있어.
없나?
있어야 되는데!
있겠지?
있어라!
있자!

자본가들은 그 방법을 찾아냈단다. 이번엔 또 어떤 방법일지 궁금하지?
욕 안 먹고 잉여 가치 늘리기

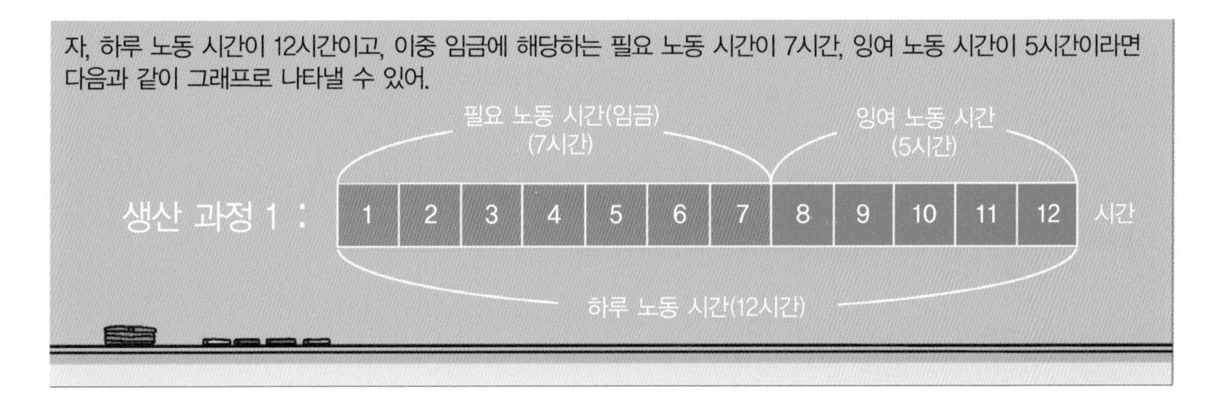
자, 하루 노동 시간이 12시간이고, 이중 임금에 해당하는 필요 노동 시간이 7시간, 잉여 노동 시간이 5시간이라면 다음과 같이 그래프로 나타낼 수 있어.
필요 노동 시간(임금)
(7시간)
잉여 노동 시간
(5시간)
생산 과정 1 :
1 2 3 4 5 6 7 8 9 10 11 12
시간
하루 노동 시간(12시간)

그럼 12시간의 노동 시간은 그대로 유지하면서 잉여 노동 시간을 늘리려면 어떻게 해야 할까? 답은 의외로 간단해.
필요노동시간
잉여노동시간

필요 노동 시간을 줄이면 되지.

그러면 상대적으로 잉여 노동 시간이 늘 테니까.
필요 노동 시간
잉여 노동 시간

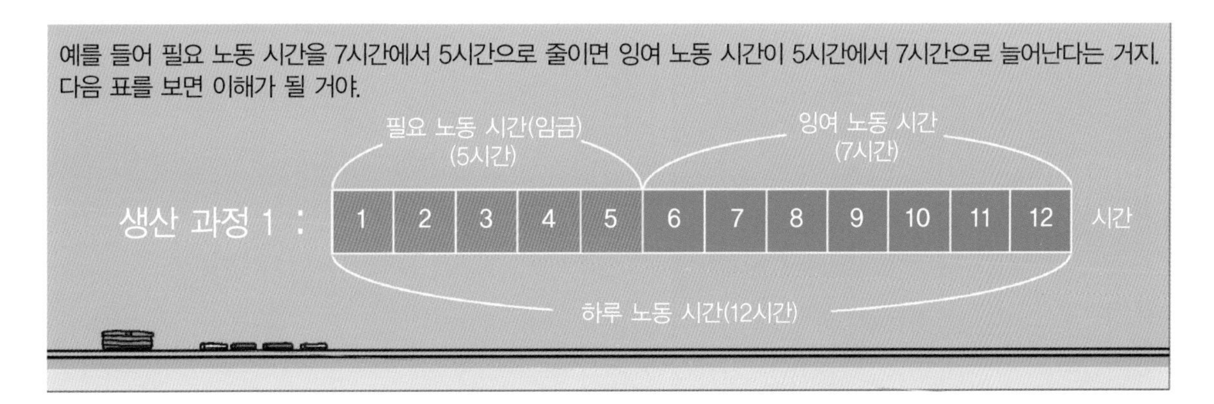
예를 들어 필요 노동 시간을 7시간에서 5시간으로 줄이면 잉여 노동 시간이 5시간에서 7시간으로 늘어난다는 거지. 다음 표를 보면 이해가 될 거야.
필요 노동 시간(임금)
(5시간)
잉여 노동 시간
(7시간)
생산 과정 1 :
1 2 3 4 5 6 7 8 9 10 11 12
시간
하루 노동 시간(12시간)

이처럼 전체 노동 시간에서 필요 노동 시간을
줄임으로써 상대적으로
잉여 노동 시간이 늘어
잉여 노동 시간
필요 노동 시간

더 많은 잉여 가치를 얻는 것을 '상대적 잉여 가치의
생산' 이라고 부른단다.
필요 노동 시간
잉여 노동 시간

어때? 기발한
방법이지?

노동 시간을 강제로 늘린다는 비난을 받지
않으면서도 잉여 가치의 생산은 늘어나니까
말이야.

그렇다면 필요 노동 시간을
어떻게 줄일 수 있다는 걸까?
필요노동 시간

지금부터 필요 노동 시간을 줄이기 위한
자본가들의 무한 경쟁 속으로 들어가 보자.
1
2

필요 노동 시간을
줄이기 위해
자본가들이 가장
많이 사용하는
방법은

노동 생산성을
높이는 거야.
생산성 증가

'노동 생산성을 높인다' 는 어려운 말이 나오니까
머리가 아프겠지만 겁먹지 말고
이건 또
무슨 말이야?!

다음의
예를 보면 쉽게
이해될 거야.

먼저 인라인스케이트를
생산하는 공장들이

일반적으로 원료와 기계(생산 수단) 구입에 100원,
노동력(임금) 구입에 100원을 들여
100원
100원

인라인스케이트
10켤레를 생산해
잉여 가치 100원을
번다고 해 보자.
100

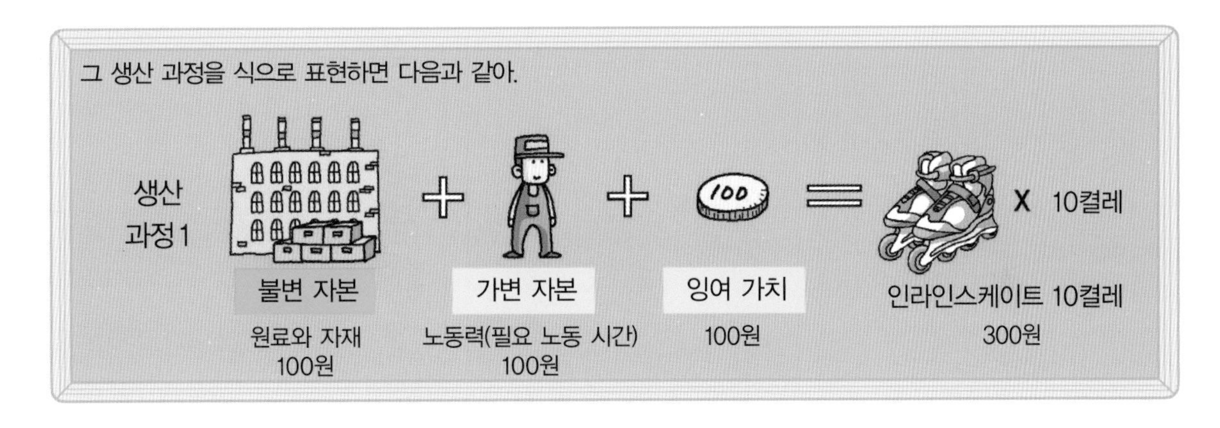
그 생산 과정을 식으로 표현하면 다음과 같아.
생산
과정 1
100
X 10켤레
불변 자본
원료와 자재
100원
가변 자본
노동력(필요 노동 시간)
100원
잉여 가치
100원
인라인스케이트 10켤레
300원

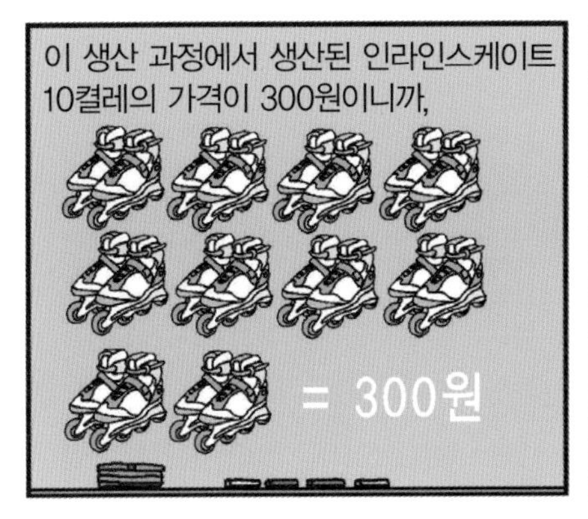
이 생산 과정에서 생산된 인라인스케이트
10켤레의 가격이 300원이니까,
= 300원

1켤레의 가격은 30원이야.
= 30원

물론 이 생산 과정에서 생긴
잉여 가치 100원은 자본가들의
몫으로 돌아갈 테고.
100

이번엔 인라인스케이트를
생산하는
'A자본가'가 있어.
내가
A자본가.

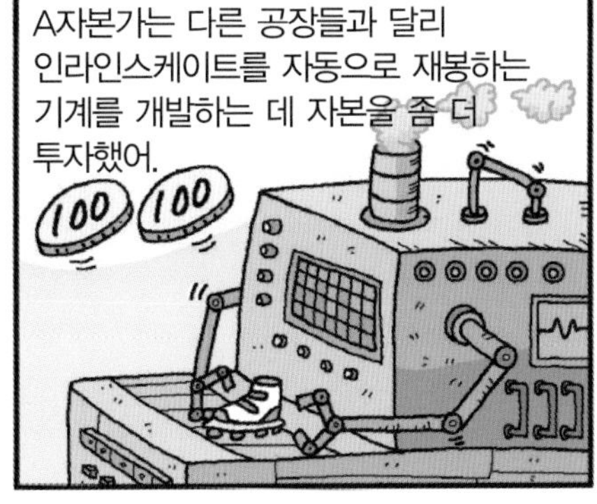
A자본가는 다른 공장들과 달리
인라인스케이트를 자동으로 재봉하는
기계를 개발하는 데 자본을 좀 더
투자했어.
100
100

그래서 원료와 기계 구입에
총 200원을 들이고, 노동력에는
100원을 들여 20켤레를
생산했다고 가정해 보자.

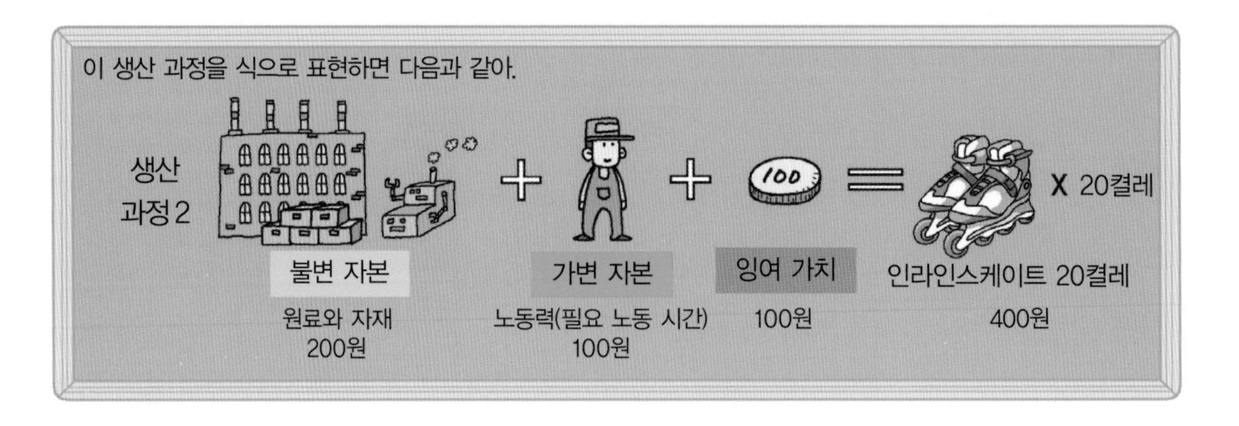

이 생산 과정을 식으로 표현하면 다음과 같아.
생산 과정 2
100
X 20켤레
불변 자본
원료와 자재 200원
가변 자본
노동력(필요 노동 시간) 100원
잉여 가치
100원
인라인스케이트 20켤레
400원

이 생산 과정에서 생산된 인라인스케이트 20켤레의 가격이 400원이니까
= 400원

인라인스케이트 1켤레의 가격은 20원이지.
= 20원

다시 말해서 A자본가는 새로 개발한 자동 기계 덕분에
오~

〈생산 과정 1〉의 두 배에 해당하는 생산량을 얻었어.
생산 과정 1
생산 과정 2

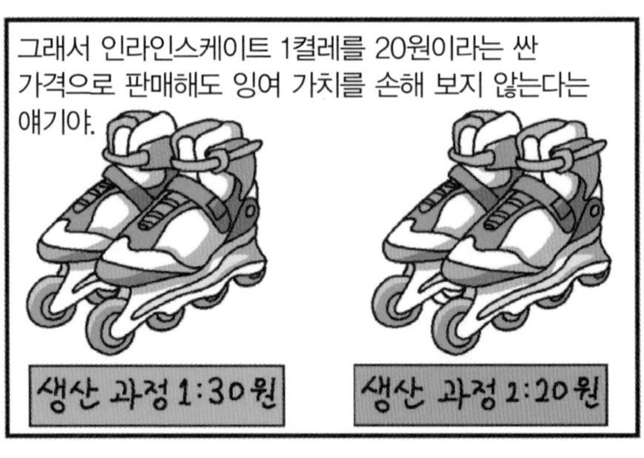

그래서 인라인스케이트 1켤레를 20원이라는 싼 가격으로 판매해도 잉여 가치를 손해 보지 않는다는 얘기야.
생산 과정 1:30원
생산 과정 2:20원

그리고 이처럼 새로운 기계를 도입해서 동일한 시간에 두 배, 세 배 생산량을 늘려

상품을 더 싸게 생산하는 것을 '노동 생산성을 높인다'고 하지.
노동 생산성

주머니가 두둑해지는 이유는 노동 생산성을 높인 A자본가에게 놀라운 보너스가 주어지기 때문이야.

대부분의 인라인스케이트는 〈생산 과정 1〉과 같은 조건에서 생산되기 때문에 인라인스케이트 1켤레의 가격은 사회적으로 평균 30원이야.

그런데 A자본가는 〈생산 과정 2〉에서 20원으로 싸게 생산한 인라인스케이트를

사회적 평균 가격인 30원에 팔 수 있기 때문에

다른 자본가들이 벌어들이지 못한

자신만의 '특별 잉여 가치'를 대박 보너스로 더 벌어들일 수 있지.

그럼 과연 A자본가가 벌어들인 특별 잉여 가치는 얼마일까? 계산할 수 있겠지?

그렇다면 A자본가가 벌어들인 총 잉여 가치는 얼마일까?

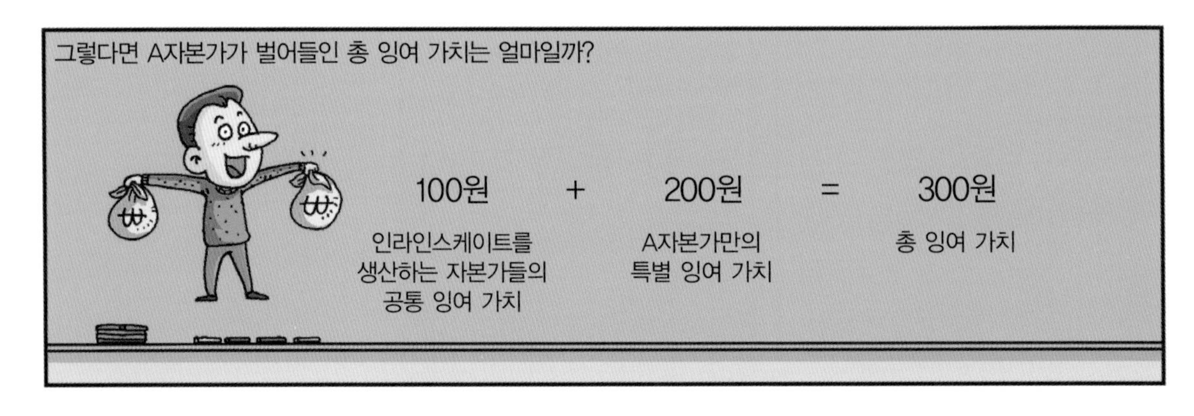

이처럼 다른 자본가들이 100원의 잉여 가치를 벌어들일 때,
100
100
100

노동 생산성을 높인 A자본가는 200원이라는 엄청난 보너스를 특별 잉여 가치로 더 벌어들이기 때문에
짠!
100
100
100
200

당연히 자본가들 간의 무한 경쟁에서 앞서 나가 더 많은 부를 쌓을 수 있는 거지.

특히 노동 생산성을 높여 얻은 '특별 잉여 가치'의 가장 큰 매력은 노동 시간을 강제로 늘려서 얻은 것이 아니기 때문에
특별 잉여 가치

노동자와 갈등을 일으키지 않고,
잘해 봅시다.

노동자를 착취하는 악덕 자본가라는 비난도 덜 받을 수 있으니
저 자본가의 공장에선 잉여 노동을 적게 한대.
부럽다…

잉여 가치를 획득하는 방법으로 이보다 더 매력적인 방법이 또 어디 있겠냐고.
나처럼 말이지~.
가끔 이상하셔.
난 정말 매력 있어

그래서 자본가들이 특별 잉여 가치를 얻기 위해 무한 경쟁을 벌이는 거야.
부아앙

무한 경쟁이란 이런 거지. A자본가가 특별 잉여 가치를 얻는 것을 본 다른 자본가들이
저 기계로 돈을 벌었구나!

앞다투어 A자본가가 도입한 자동 기계를 들여와 너도나도 인라인스케이트를 생산하면
짜~잔~
헉!

사회적으로 인라인스케이트의
평균 가격이 낮아질 거야.
30 원
20
30 원
20

그러면 A자본가도 더 이상 특별
보너스로 잉여 가치를 벌어들이지
못하는 순간을 맞게 되지.
남들 다 20원에
파는데 나만 30원에
팔 수는 없잖아.

그러니 자본가들은 다른 자본가들이
생각하지 못한 새롭고 기발한
기술이나 시설, 재료를 개발하여
연구
시설
개발
재료

특별 잉여 가치를 계속 창출하려고 끝없는 경쟁을
벌인단다.
내 기계는 하루에
100켤레를 만든다!
내 건
200켤레!
내 건 300
켤레라고!

이러한 자본가들의 무한 경쟁은 결국 노동 생산성을
높이기 위한 경쟁이고,
웃샤!
영차!
노동
생산성

노동 생산성을 높여야만
특별 잉여 가치를
얻을 수 있지.

19세기 증기 기관을 이용한 면직 공업에서
21세기 반도체 산업에 이르기까지, 자본주의의
눈부신 변신은 모두

잉여 가치를 더 얻으려는
자본가들의 치열한 생존 경쟁에서
비롯된 것이라고 할 수 있지.
챙
챙

그러나 마르크스는 잉여 가치가 아무리 증가해도,
와~,
잉여 가치가
크다!
잉여 가치
터질 것
같아.

노동자의 몫으로 돌아오지 않는다고 비판했어.
잉여 가치

*장본인 – 어떤 일을 꾀하여 일으킨 바로 그 사람.

노동 시간 단축의 역사

각 나라마다 법으로 정한 기준 노동 시간, 즉 법정 근로 시간이 있습니다. 우리나라의 경우 근로 기준법에 의하면 노동 시간이 1일 8시간에 1주 40시간을, 15세 이상 18세 미만자는 1일 7시간에 1주 40시간을 초과하지 못하도록 되어 있지요. 우리나라의 노동 시간은 경제협력개발기구(OECD) 회원국들의 주 33~35시간에 비교해 보면 여전히 긴 편에 해당합니다.

법정 근로 시간은 오랜 세월 동안 노동자들의 끊임없는 저항과 요구를 통해 오늘날에 이르렀습니다. 지금은 당연하게 여겨지는 '하루 8시간 노동'도 전 세계 노동자들이 목숨 건 저항을 통해 얻어 낸 결과입니다.

노동 시간 단축을 위한 저항은 영국에서 가장 먼저 시작되었습니다. 14~18세기 중엽까지 영국 자본가들은 노동 시간을 최대한 연장하는 법을 만들어 이윤 추구에 매달렸습니다. 산업화의 속도만큼 노동 시간도 빠르게 늘어갔지요. 19세기 들어 참다못한 노동자들이 공장의 기계를 부수는 '러다이트 운동(Luddite Movement)'으로 저항의 문을 열었습니다. 그러나 곧 진압되었고, 주동자들은 사형에 처해졌지요. 하지만 저항의 불씨는 사그라지지 않았습니다. 19세기 중반부터 노동자들이 연대해 노동조합을 만들기 시작했지요. 노동자들은 "흡혈귀는 착취할 수 있는 한 조각의 근육, 한 가닥의 힘줄, 한 방울의 피라도 남아 있는 한 노동자를 놓아 주지 않는다. 따라서 노동자들은 노동 시간 단

▲ 러다이트 운동을 표현한 판화

축을 보장하는 법률이 만들어질 때까지 단결해야 한다."는 구호를 외치며 노동 시간 단축과 임금 인상, 노동 환경 개선을 요구했지요. 그 결과 하루 15시간 노동 원칙을 담은 1833년의 '공장법'이 하루 10시간 노동 원칙을 담은 '신공장법'으로 바뀌었습니다. 하지만 이 법이 실제 모든 공장에 적용되기까지는 50여 년이라는 긴 시간이 걸렸지요.

▲ 러시아에서 열린 노동절 기념 집회에서 거리를 행진하는 노동자들의 모습

그 뒤 1886년 5월 1일, 미국 노동자들이 하루 8시간 노동을 위해 총파업에 돌입했습니다. 이 파업에서 경찰의 발포로 어린 소녀를 포함한 노동자 6명이 사망하고, 이튿날 열린 집회에서는 주동자들이 사형에 처해지는 등 많은 노동자들이 희생되었습니다. 1889년 7월 프랑스 혁명 100주년을 기념하여 파리에서 열린 제2인터내셔널 설립 대회에 이 소식이 전해지면서, 1890년 5월 1일을 '노동자 단결의 날'로 정해 8시간 노동 쟁취를 위한 시위를 세계적으로 벌였습니다.

그 후 5월 1일을 노동자의 연대와 단결을 결의하는 국제 기념일 즉 노동절로 정하고, 이날을 '메이데이(May Day)'라 불렀습니다. 오늘날 미국과 캐나다에서는 9월 첫째 월요일을, 유럽, 중국, 러시아, 우리나라 등에서는 5월 1일을 노동절로 정해 기념하고 있지요.

한편 우리나라에서는 1970년대 청계천에서 옷 공장 재단사로 일하던 청년 노동자 전태일이 '노동자는 기계가 아닌 사람이니, 근로 기준법에 정해진 하루 8시간의 노동 시간을 지켜라.'며 분신한 것을 계기로, 노동 시간 단축과 노동 조건 개선을 위한 노동자들의 연대와 단결이 본격화되었습니다.

▲ 서울 청계천에 있는 전태일 동상

제8장 임금이란 무엇일까?

*철회 – 이미 제출하거나 주장한 것을 회수하거나 번복함.

그럼 이런 노동자, 자본가 간의
갈등은 우리나라에만 있는
걸까?

그렇지 않아. 자본주의 국가라면
어느 나라에서든 공통적으로 겪는
갈등이란다.
미국
영국
프랑스
독일
일본

그럼 노동자와 자본가를 갈라놓는
대립의 원인은 무엇일까?
으르릉~!

여러 가지 이유가 있겠지만, 역시 가장 근본적인
이유는 임금을 둘러싼 입장의
차이야.
항상 그렇듯이
내가 말썽이지.
AA1234567 A
한국은행
만원
10000

노동자는 임금을 올려 달라고 하고 자본가는 더 이상의
임금 인상은 안 된다고 하면서 벌어지는 갈등이
대부분이지.
임금

대체 임금에 대한 입장이 어떻게 다르기에
다른 입장 찾기
임금
임금
노동자
자본가
완전
다른데….

이런 대립이 모든 자본주의 국가마다, 심지어
마르크스가 살았던 19세기에서 21세기인
오늘날에 이르기까지 계속되고 있는 것일까?
우당탕
쾅쾅

이제부터 마르크스와 인터뷰하면서
이 문제에 대한 해답을 찾아볼 거야.
노동자의
입장이라면 내가
제일 잘 알지!

어때? 아주 흥미로운 인터뷰가
될 것 같지 않니?

자, 그럼 TV를 켜 볼까?
팟!

특별 대담
《자본론》 저자
마르크스를 만나다
이 사람을 만나다!

만나 뵙게 되어 영광입니다.
예, 반갑습니다.

발표하신 《자본론》 1권은 잘 읽고 있습니다. 자본주의를 과학적으로 분석한 아주 탁월한 저서입니다.
자본론 1권
마르크스
전국 서점에서 절찬리 판매 중!

바쁘실 텐데 인터뷰를 허락해 주셔서 감사합니다.
아, 별말씀을.
꾸벅
꾸벅

먼저 가장 궁금한 질문부터 드리겠습니다. 노동자와 자본가 사이에 일어나는 임금을 둘러싼 갈등의 원인이 무엇인지 분석해 주시죠.

그건 이렇습니다.

무엇보다 '노동'과 '노동력'을 제대로 인식하지 못한 데서 비롯된다고 봐야 해요.
노동
노동력

자본가는 '임금'이 노동자의 노동에 대한 대가라고 주장합니다.
임금 = 노동의 대가

반면 노동자들은 임금이 노동력에 대한 대가에 불과하다고 주장하지요.
임금 = 노동력의 대가

그렇다면 노동과
노동력은 어떻게
다른가요?
노동
노동력

예를 들어서 설명 드리죠. 어떤
노동자가 노동력을 제공하는 대가로
임금 100원을 받기로 계약하고,
100

10시간 동안 노동을 해서 잉여 가치
100원을 생산했다고 합시다.
말뚝박기 10시간

이때 노동자가 받은 임금 100원의 가치가 전체
10시간의 노동 시간 중 5시간의 노동 시간에
해당하는 가치라고 한다면
임금 100원의 가치
||
노동 5시간

노동자는 5시간의 필요 노동 시간만 노동하면
자본가에게 받은 임금에 대한 노동 의무를 다하게 되죠.
유후~,
다했다.
5시간

하지만 실제로 노동자는 필요 노동 시간 5시간 외에 5시간의
추가 노동, 즉 잉여 노동을 더 한 겁니다.
100원이면
5시간만 일하면
되는데….
5시간
+5시간

물론 이 잉여 노동으로 잉여 가치 100원이
발생하는데
100

잉여 가치 100원은 노동자의 몫으로 돌아오는 게
아니라 고스란히 자본가의 몫이 되어 버리지요.
100

노동자는 10시간의 노동으로
200원의 가치를 생산했지만
200

임금은 여전히 100원에
불과합니다. 그것은
200
100

이 임금이 노동자가 한 실제
노동에 대한 대가가 아니라,
노동력에 대한 대가이기
때문입니다.

자본가는 노동력의 가치만
임금으로 지불하고,
노동력

실제로는 노동자에게 노동력의 가치를 훨씬 넘어서는
잉여 노동을 강요해 막대한 잉여 가치를 착취하지요.
와르르~
잉여 노동

그럼에도 자본가는 임금이 노동자의 노동력이 아닌
실제 노동에 대한 대가로 지불된 거라고 주장하면서
난 분명히
노동에 대한
대가를 준
거라고.

노동자들의 요구를 들어 주지 않기 때문에 갈등이
발생하는 것입니다.
♪아~,
안 들려
안 들려!

그렇지만
자본가들이 임금을
실제 노동에 대한
대가로 지불했다고
주장하는 데에도
이유가 있지
않을까요?
예리한 질문

노동자의 주장대로 임금이
실제 노동에 대해 정당하게
지급되지 않았다면

자본가들이 그런 진실을 외면하고만
있을 수는 없을 것 같은데요.

손바닥으로 해를
가린다고 태양이
사라지는 건 아니니까요.

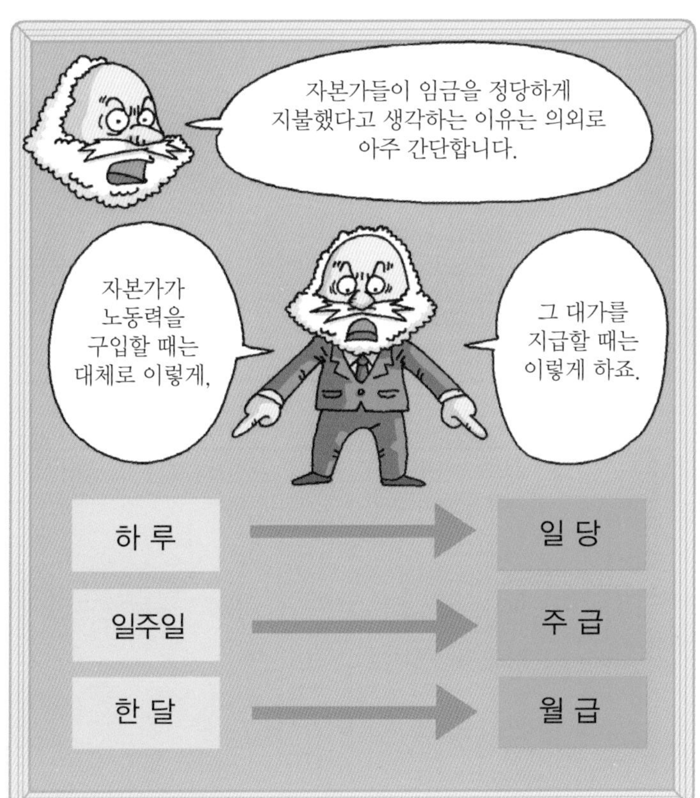
자본가들이 임금을 정당하게
지불했다고 생각하는 이유는 의외로
아주 간단합니다.
자본가가
노동력을
구입할 때는
대체로 이렇게,
그 대가를
지급할 때는
이렇게 하죠.
하 루
일 당
일주일
주 급
한 달
월 급

그런데 가만히 생각해 보세요.
임금은 선불로 지급되는 것이 아니라
노동을 다 마친 뒤에 후불로 지급되지요.

그렇게 노동을 한 뒤에 임금을 받다 보니
자, 이번 달
월급!
감사합니다.

노동자들은 임금이 마치
노동에 대한 대가로 지불된
것처럼 착각하는 거죠.
한 달 동안
일한 대가를
받았다!

왜 자본가는 노동자에게 노동을 먼저 시키고 임금은 나중에 지불할까요?
동시에
교환하자!
네가 먼저
내놔!
노동력
임금

그리고 노동자는 왜 돈도 받지 않고
노동력이라는 자신의 상품을 자본가에게
먼저 제공한 뒤
노동력

노동을 마친 다음에야 임금을 받는
걸까요? 그건 분명 '부당한 거래'
입니다!
옜다!
팅!!

그것이 왜
부당한 거래인지
지금부터 보시지요!

거래는 상품과 그에 대한 대가인 화폐를 그 자리에서 동시에 주고받는 것이 일반적입니다.

그런데 상품에 해당하는 노동력과 대가인 임금은 동시 교환이 이루어지지 않아요. 노동력이라는 상품을 마음대로 쓴 뒤에 대가인 임금을 지불하는 거죠.

그러다가 질 나쁜 자본가라도 만나면
우리 공장은 임금도 많이 주고 휴식 시간도 많고….
와!
와! 와!

죽도록 일만 하고 임금은 한 푼도 받지 못한 채 쫓겨나고 말아요. 그런 노동자들이 한둘이 아닌 걸로 보아 얼마나 부당한 거래인지 짐작할 수 있지요.
화장실을 두 번이나 갔다 오다니, 해고야!

그럼 왜 이런 부당한 거래가 이루어지는 걸까요?
그건….

일자리보다 노동력을 팔려는 사람들이 넘쳐 나기 때문에
구직센터
일자리 없어요?

노동자들은 임금을 나중에 받더라도 일자리를 얻으려고 하지요.
임금은 일이 끝나고 지급하겠습니다.
일할 사람?
저요!
저!
내가 먼저!
저요!

노동자들은 일자리를 구해 돈을 벌어야 하는 절박한 상황입니다.
가족들이 굶고 있어요. 제발 일 좀 시켜 주세요.

더구나 노동자들의 노동이 자본가에게 모든 부를 가져다 주는 근원이라는 노동자들의 주장도 절대 인정하지 않죠.

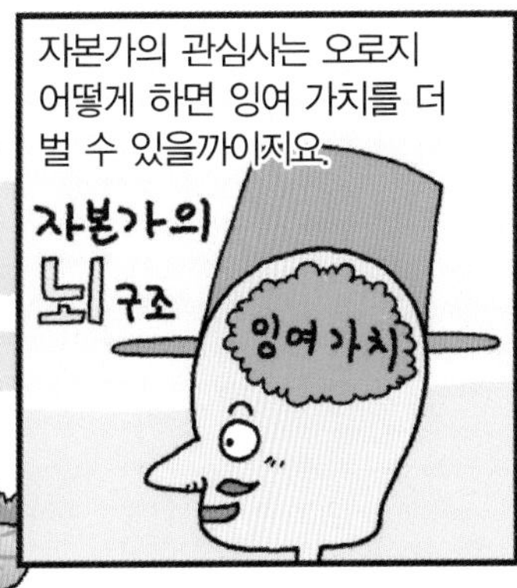

또한 자본가들은 기술과 기계 개발을 위한 열정과 노력,
근면·성실한 생활 덕분에

부를 얻은 거라고
믿고 있어요.
부
부
부

자본가와 노동자 사이에는 정말 좁힐 수 없는
엄청난 입장 차이가 존재하는군요!

그럼 노동자들이
언제까지나 부당한
거래를 참고만 있지는
않을 텐데요?

자본가들은 적은 임금을 주고 많은
노동을 시키는 방법을 찾는 데 아주
탁월한 사람들입니다.
탁월함의 끝
자본가

임금이 노동에 대한 정당한 대가라는
착각을 하게 만드는 방법 말이지요.
정당한 대가….
정당한 대가….

그런 예를 좀
들어 주시겠습니까?

네, 그러죠. 임금의 종류로 예를 들어 보겠습니다.
임금은 노동 시간을 기준으로 지급되는 시간급과
12
3
6
시간급

생산량에 따라 지급되는 성과급, 두 가지가
대표적입니다.
성과급

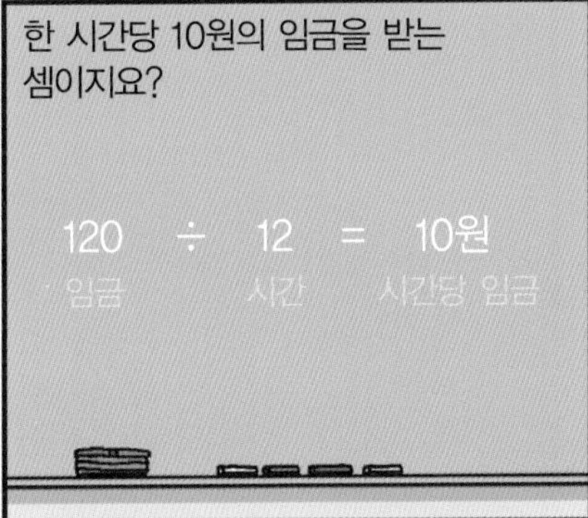

자본가들은 임금으로 나가는 돈을
절약하면서 잉여 가치는 그대로
얻을 수 있지요.

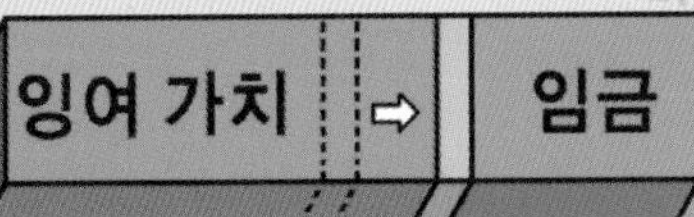

일한 시간만큼인 80원이나
40원밖에 못 받으니 늘 생계를
걱정해야 하지요.

이 돈
가지고는
살 수가
없어!

그렇다고 해서 남은 노동자가 항의하지도 못합니다.

투쟁

이대로는 못 참겠다. 임금….

시간급 임금에 그런 의도가 숨어 있었군요. 그럼 시간급 임금 말고 성과급 임금은 어떤가요?
성과급 임금도 시간급 임금과 형식만 다르지 실제 내용은 같아요.

그러면 왜 성과급 임금제를 사용하는 거죠? 시간급과 차이가 없다면요?
성과급은 노동자에게 경쟁심을 갖게 해 더 많은 노동을 시킬 수 있는 엄청난 장점을 갖고 있기 때문이죠.

예를 들어 어떤 신발 공장에서 노동자들이 하루 10시간 노동에 임금 100원을 받는 조건으로 고용되어 10켤레의 슬리퍼를 생산했다고 합시다.
10시간 노동 = 임금 100원
일 끝나고 같이 저녁 먹으러 가요.
그럴까요?
A = x 10
B = x 10
C = x 10

이때 자본가가 성과급을 제시하지요.
10시간 동안 슬리퍼 10켤레 이상을 생산한 노동자에게는 생산한 만큼 임금을 더 주겠습니다.

한마디로 말해서 노동자들이 서로 경쟁하도록 유도하는 겁니다.
경쟁 상대.

그럼 노동자들은 성과급을 받기 위해 누가 시키지 않아도 더 많이, 더 빨리 노동할 거고,

그러면 감시하지 않아도 노동자들이 알아서 더
열심히 노동해 생산량을 증가시켜 주니까

자본가 입장에서는 꿩 먹고 알 먹는
효과를 얻는 셈이지요.

그렇지만 자본가들은 성과급으로
임금을 더 지불해야 하니까
성과급
임금
내 돈…

성과급
생산량이 많아지는 만큼
임금으로 지출되는 비용도
많아져 이익이 안 날
것 같은데요?
임금
상품

자본가가 어떤 사람들입니까? 손해 볼
일이라면 왜 그런 임금 제도를
사용하겠어요.
내가
바본 줄
알아?
휙

절대 손해 볼 리
없답니다. 예를 들어
설명드리죠.
특별 공개
성과급 예시

신발 공장에서 노동자들이 10시간
동안 100원의 임금을 받고 10켤레의
슬리퍼를 생산했다면,
10시간 노동 = 100원 = 슬리퍼 10켤레

슬리퍼 1켤레에는 임금
10원의 가치가 있지요?
슬리퍼 1켤레 = 10원

그런데 어떤 노동자가 성과급을 받기
위해 남들보다 더 열심히 노동해서

10시간 동안 슬리퍼를 12켤레
생산했다고 합시다.
× 12
너무
무리했어.

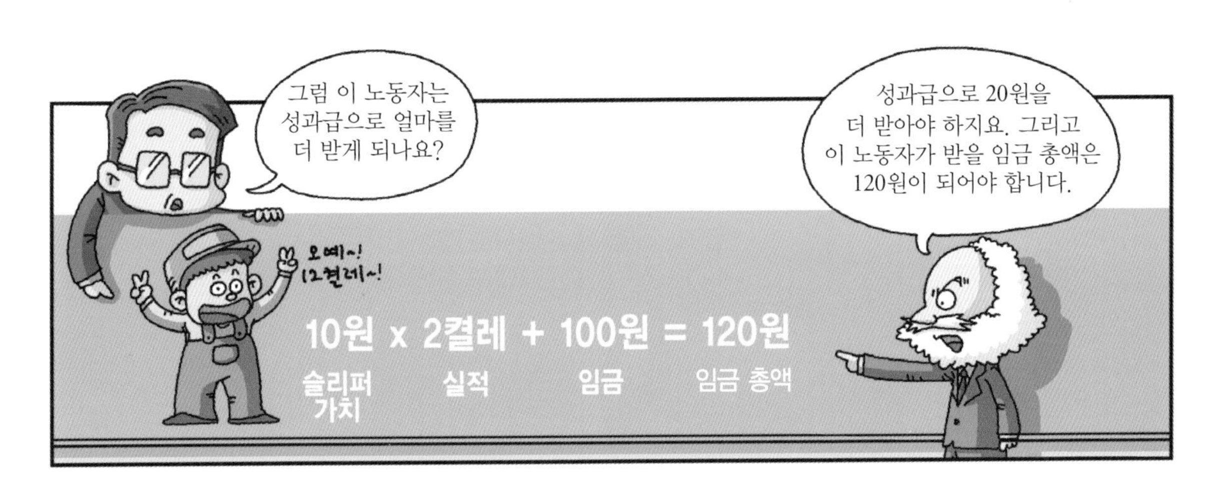
그럼 이 노동자는 성과급으로 얼마를 더 받게 되나요?
성과급으로 20원을 더 받아야 하지요. 그리고 이 노동자가 받을 임금 총액은 120원이 되어야 합니다.
오예~! 12켤레~!
10원 x 2켤레 + 100원 = 120원
슬리퍼 가치
실적
임금
임금 총액

그런데 자본가는 슬리퍼 1켤레당 임금 10원이 아니라 5원으로 계산해 20원이 아닌 10원을 성과급으로 지급합니다.
저럴 줄 알았어.
5
원 x 2켤레 + 100원 = 110원
임금
임금 총액
무슨 10원 씩이나!

그런데 성과급의 환상에 빠지면
성과급
성과급
성과급
성과급

실제로 자신이 받아야 할 몫을 못 받고 있다는 사실보다는
110원? 내가 원래 얼마를 받아야 하지?

자신이 남들보다 열심히 일을 해서 더 많은 임금을 받는다는 것에만 주목하게 됩니다.
유후~
한 푼이라도 더 벌었으면 됐지, 뭐.

그래서 자본가들은 노동자들이 스스로 알아서 열심히 생산한 잉여 가치를
성과급
성과급
성과급
성과급
성과급
성과급
성과급
잉
여
가
치
잉
여
성과급
성과급
성과급

더 많이 챙기면서도 임금을 절약할 수 있는 거지요.
워~
워~
성과급! 성과급! 성과급!

*일석이조 – 돌 한 개를 던져 새 두 마리를 잡는다는 뜻으로, 동시에 두 가지 이득을 봄.

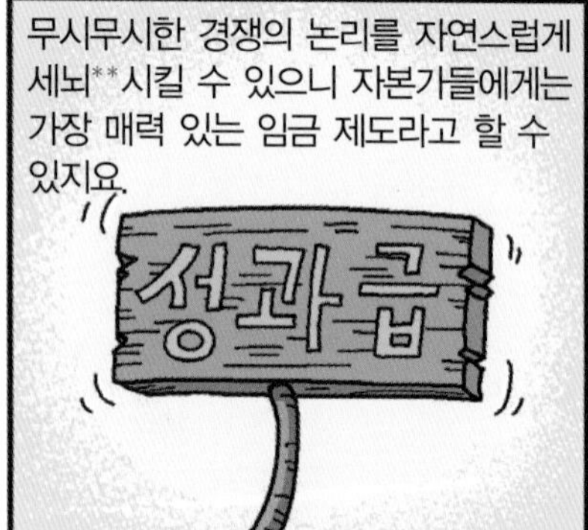

**세뇌 – 본래 가지고 있던 의식을 다른 방향으로 바꾸도록 뇌리에 주입하는 일.

노동자는 결국 자신이 실제로 노동한 대가에 해당하는
임금을 정당하게 받지 못하고
임금

노동력에 대한 대가만을 임금으로 받는 부당한 대우를
받고 있지요.

노동자들은 자본가가 이 사실을 감추기 위해
시간급이니, 성과급이니, 연봉제니, 수당이니 하는
여러 임금 제도를 동원한다는 걸 알아야 합니다.
임금을 올려…어?
이게 뭐지?
연봉제
수당
시간급
어때? 불만 없지?

오늘 이렇게 직접 나와 임금에 대한
노동자들의 입장을 대변해
주셔서 감사드립니다.
벌써 끝났어?

다음 번에는 자본가들의
입장에서 이야기를 나눠 보겠습니다.
균형 감각이 중요하니까요.

판단은 여러분의 몫입니다.
이상 특별 대담을 마치겠습니다.

어때? 도움이 많이 됐니?

그럼 다음 시간에는 잉여 가치를 자본으로 만드는
자본가의 비법을 알아보도록 하자.

임금 결정 이론

마르크스 경제학자들과 이를 비판하는 경제학자들 사이에 큰 입장 차를 보이는 것 중 하나가 바로 '임금'입니다. 자, 그럼 임금 결정에 대한 네 가지 입장을 살펴볼까요?

▲ 토머스 로버트 맬서스

1. 임금 생존비설

산업화가 막 시작된 초기 자본주의 시대에 처음 등장한 임금 이론입니다. 영국의 경제학자 리카도가 제기한 것으로, 임금이란 노동자와 그 가족의 생존을 위한 비용 즉 생존비의 크기에 따라 결정되고, 인구의 증감에 가장 큰 영향을 받는다는 것이지요. 임금 생존비설의 이론적 근거를 제시한 사람은 《인구론》을 쓴 맬서스(T.R.Malthus, 1766~1834)입니다. 맬서스는 임금이 생존비 이상으로 올라가면 노동자의 생활이 풍요로워져 인구가 증가하고, 그에 따라 노동자 공급도 증가한다고 보았습니다. 반대로 임금이 생존비 이하로 떨어지면 노동자의 생활이 궁핍해지고 유아 사망률이 증가해 인구가 감소하며, 그에 따라 노동자의 공급이 줄어든다고 주장했지요. 따라서 임금은 생존비를 기준으로 그 이상도 그 이하도 아닌 생존비 수준에서 결정되어야 한다는 것입니다. 이것을 임금이 결정되는 불변의 철칙과도 같다는 의미에서 '임금 철칙설'이라고도 합니다.

2. 노동 가치설에 따른 임금 이론

마르크스는 임금이 생존비 수준에서 결정된다는 것을 인정하면서도 임금이 인구의 증감에 의해 결정되는 것은 아니라면서 노동 가치설에 근거한 임금 이론을 제시했습니다.

마르크스는 자본가가 노동자의 '노동력'을 임금을 주고 구입해 실제 '노동'을 시켜 상품을 생산하고, 이 과정에서 '가치'가 만들어진다고 보았습니다. 그리고 노동자는 이때 만들어진 가치를 '임금'으로 지불받아야 한다고 주장했지요.

3. 한계 생산력설

기업이 노동자 수를 늘리면 생산량은 점점 줄어들게 된다는 '한계 생산력 체감의 법칙'에 기초한 입장입니다. 생산에 노동자 수를 증가시켜 갈 경우 최종적으로 고용된 노동자의 생산력, 즉 한계 생산력에 의해 임금이 결정된다는 이론이지요.

임금이 한계 생산력을 초과하면 노동 수요가 줄어 노동 인력이 남아돌게 되므로 임금은 저하되고, 임금이 한계 생산력 이하로 내려가면 노동 수요가 늘어 임금이 상승되므로 임금은 결과적으로 노동의 한계 생산력과 일치하게 된다는 것입니다.

한계 생산력설은 자본가나 경영자의 입장을 대변하는 임금 이론으로 1930년대까지 미국의 임금 이론을 주도했습니다.

4. 임금 교섭설

임금이 노동자와 사용자(경영자 혹은 자본가) 간의 협상에 의해 결정된다고 보는 입장입니다. 즉 노동조합과 자본가의 교섭 능력이 균형을 이루는 지점에서 임금이 결정된다고 보는 것이지요. 1940년대에 노동조합이 발전함에 따라 등장한 임금 이론입니다.

제9장 자본의 축적이란 무엇일까?

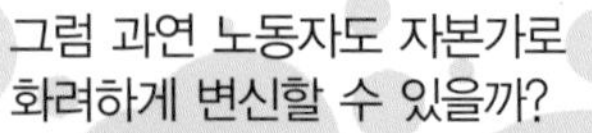

그럼 마르크스가 왜 그렇게 생각했는지 알아보자고.

참, 기분 좋은 소식이 있어. 이번 장을 마치면 《자본론》 1권이 끝난다는 거야.
자본론
I

시작이 반이라고, 벌써 여기까지 오다니 기분 좋지? 끝까지 힘내자. Let's go!
yeah~

먼저 자본주의 생산이 계속되는 원리부터 파헤쳐 볼까?
자
본
주
의

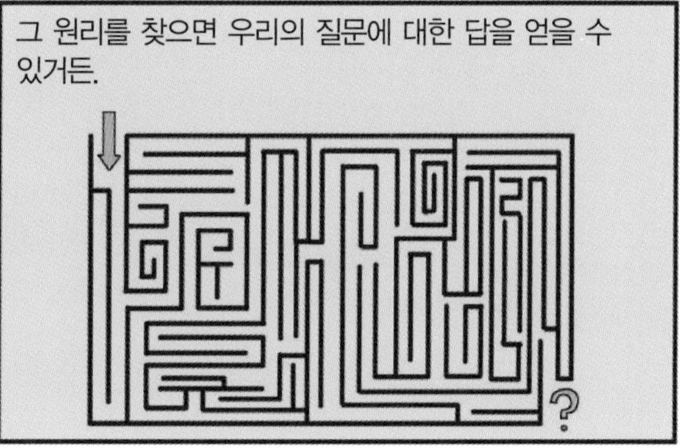
그 원리를 찾으면 우리의 질문에 대한 답을 얻을 수 있거든.
?

10,000원의 자본을 가진 A자본가가 있다고 하자.
A 자본가
10,000원

A자본가가 10,000원 중에서 5,000원으로 불변 자본을 구입하고,

5,000원의 임금을 주고 가변 자본인 노동자의 노동력을 구입해서,
5,000원

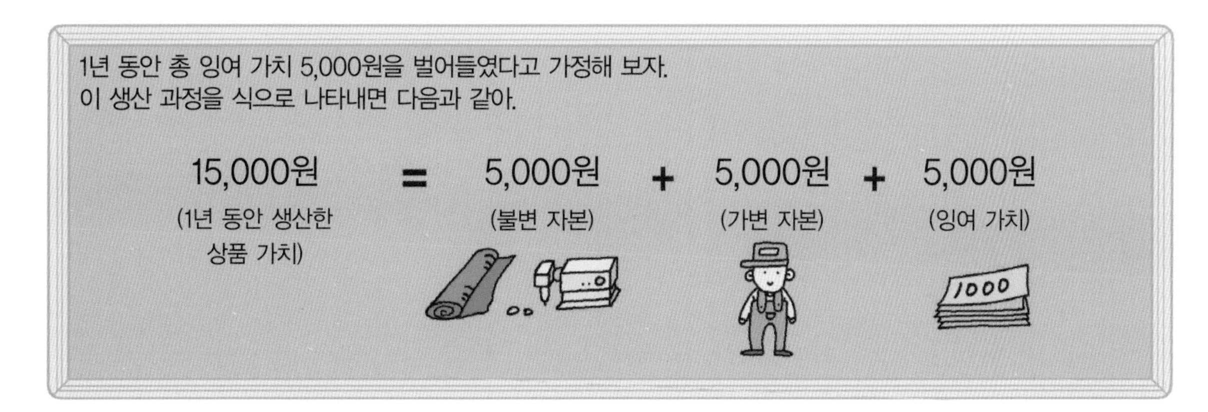
1년 동안 총 잉여 가치 5,000원을 벌어들였다고 가정해 보자.
이 생산 과정을 식으로 나타내면 다음과 같아.
15,000원 = 5,000원 + 5,000원 + 5,000원
(1년 동안 생산한 상품 가치)
(불변 자본)
(가변 자본)
(잉여 가치)
1000

첫해 : 5,000원(불변 자본) + 5,000원(가변 자본)
+ 5,000원(잉여 가치) = 15,000원(상품의 가치)

이중에서 5,000원의 잉여 가치는 생활비로,
10,000원의 자본금은 다음 해 생산에 재투자

2년째 : 5,000원(불변 자본) + 5,000원(가변 자본)
+ 5,000원(잉여 가치) = 15,000원

이중에서 5,000원의 잉여 가치는 생활비로,
10,000원의 자본금은 다음 해 생산에 재투자

3년째 : 5,000원(불변 자본) + 5,000원(가변 자본)
+ 5,000원(잉여 가치) = 15,000원

이중에서 5,000원의 잉여 가치는 생활비로,
10,000원의 자본금은 다음 해 생산에 재투자

이렇게 A자본가처럼 매년 동일한 생산 규모를 계속 반복하는 것을 '단순 생산 과정'이라고 부른단다.
똑딱
똑딱
투자 10,000원
잉여 가치 5,000원

투자한 자본도, 벌어들이는 잉여 가치도 변함없이 똑같이 유지되는 재생산이란 뜻이지.
잉여 가치 5000원
1년
2년
3년

그럼 자본가들이 이렇게 생산을 계속 반복하는 이유는 무엇일까?
투자
생산

그것은 당연히 생산을 계속해야만 잉여 가치를 벌어들일 수 있고
자본
생산
잉여 가치

잉여 가치를 벌어야만 생활비를 얻고 다음 해에 생산을 계속할 수 있는 자본도 벌어들일 수 있기 때문이지.
생활비
자본

그런데 이런 재생산 과정에서 마르크스가 주목한 것은

A자본가가 처음 가진 자본은 자본가 자신의 돈이었을지 몰라도,
당연히 내 돈이지.

다음 해, 그 다음 해로 이어지는 재생산에 쓰인 자본이나,
위이잉~

자본가의 생활비는 과연 어디에서 오는 것인가라는 점이었어.
투자
밥값
세금
여가
임금
기름값
교육
생활 용품

그것은 두말할 필요도 없이 노동자의 노동에서 온다는 거야.

잉여 가치 중 일부를 다음 해 재생산에 쓸 자본으로 남겨 둔단다.

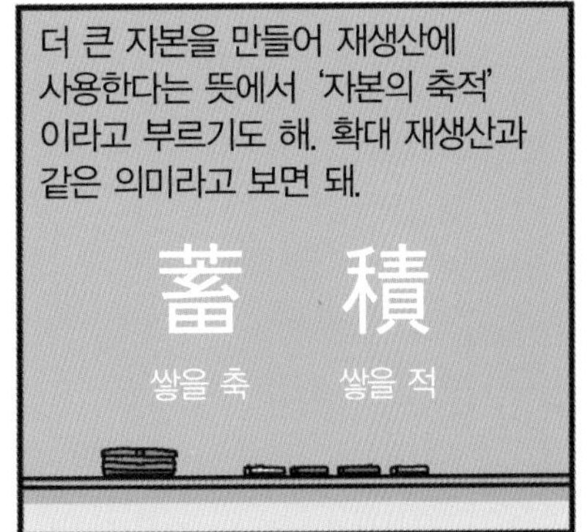

그럼 자본의 축적을 통해 이루어지는 확대 재생산 과정을 식으로 표현해 보자. B자본가가 자본 10,000원으로 첫해의 생산을 마친 후 잉여 가치 5,000원을 벌어들였다고 하자.

첫해 : 5,000원 (불변 자본) + 5,000원 (가변 자본) + 5,000원 (잉여 가치) = 15,000원 (상품의 가치)

그런데 B자본가는 잉여 가치 5,000원 중 3,000원을 생활비로 사용하고 나머지 2,000원은 원래 가진 자본 10,000원에 더해서 12,000원으로 자본을 축적했어. 그리고 아래와 같이 불변 자본과 가변 자본을 확대해서 다음 해에 재생산했다고 하자.

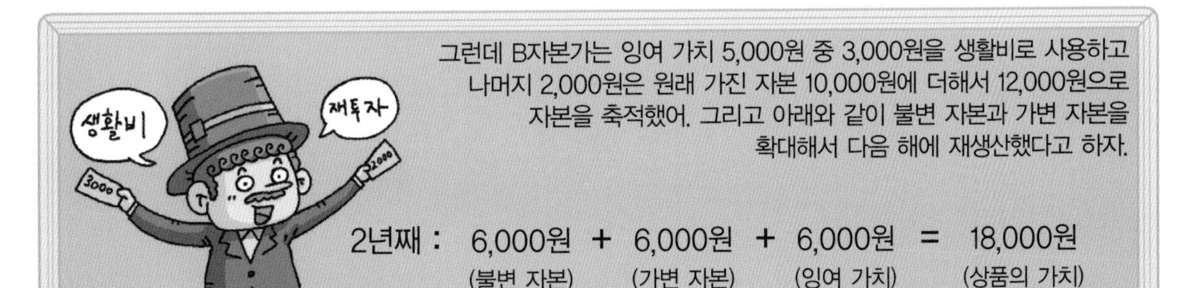

2년째 : 6,000원 (불변 자본) + 6,000원 (가변 자본) + 6,000원 (잉여 가치) = 18,000원 (상품의 가치)

B자본가는 자본을 축적하여 확대 재생산한 결과 첫해보다 1,000원이 더 늘어난 6,000원의 잉여 가치를 벌었어.
6000

3년째에는 6,000원의 잉여 가치 중 3,000원을 자본 12,000원에 더해
3000
3000
12000

15,000원으로 자본을 축적했지. 그렇게 불변 자본과 가변 자본을 확대 재생산했다면,
15000
불변자본
가변자본

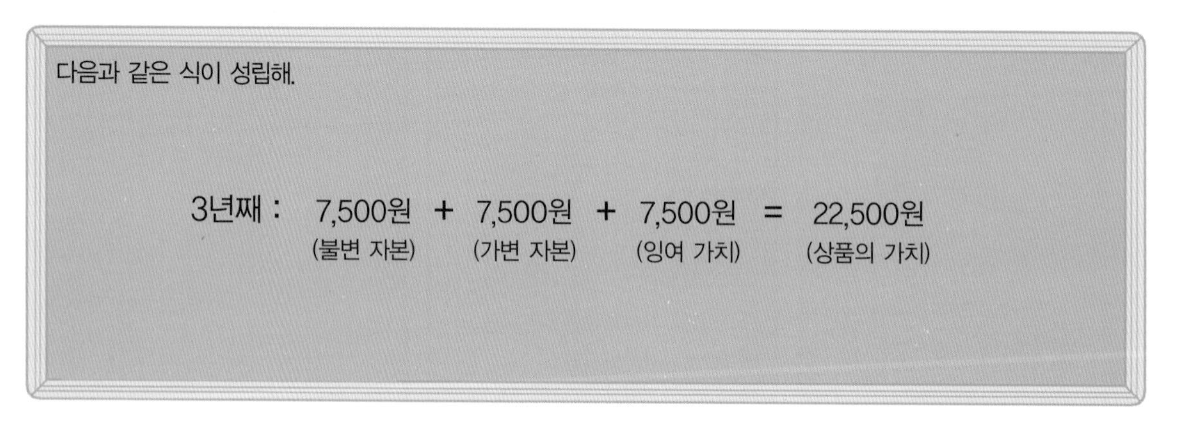
다음과 같은 식이 성립해.
3년째 : 7,500원 (불변 자본) + 7,500원 (가변 자본) + 7,500원 (잉여 가치) = 22,500원 (상품의 가치)

3년째 확대 재생산한 결과 B자본가는 2년째보다 1,500원이 많아진 7,500원의 잉여 가치를 벌었어.
2년째
3년째
6000
7500

B자본가가 다음 해, 그 다음 해에도 이런 식으로 잉여 가치의 일부를 자본으로 축적해 확대 재생산을 계속한다면 나중에는 어떤 결과가 올까?
데굴
데굴
4년
5년
6년
7년......

당연히 자본가는 엄청난 자본을 축적해 어마어마한 잉여 가치를 벌어들이는 대자본가가 되어 있을 거야.
쑤우욱

이것이 바로 모든 자본가들의 꿈이고, 확대 재생산을 하는 이유라고 할 수 있지.

그런데 자본가들은 확대 재생산을 할 때 노동자의
임금을 올려 주거나, 노동자를 더 많이 고용하는 등의
와 와

가변 자본을 확대하기보다는
휙

생산 시설과 기계, 신기술 등의 불변 자본을 구입하는 데 더 많은 자본을 투자한단다.

왜냐하면 기계나 신기술 같은 불변 자본에 투자할수록 노동 생산성이 높아져 굳이 노동자를 더 고용하지 않아도,

심지어 노동자의 수를 줄여도 상품의 생산량을 더 늘릴 수 있기 때문이지.
기계한테 일자리를 빼앗겼어.

선생님! 노동 생산성이라는 말이 무슨 뜻인지 잊어버렸습니다.
너무 당당해….

새로운 기계와 기술을 생산에 도입하여 동일한
노동 시간에, 동일한 수의 노동자로도
예전보다 더 많은 생산량을 얻는 것을
노동 생산성이 높다고 한다.
이제부터는 꼭 기억해 두세요.

자, 그럼 오랜만에 돌발 퀴즈를 한번 풀어 볼까?
나 잊지 않았지?

자본가들이 신기술이나 기계, 생산 설비를 개발해 노동 생산성을 높임으로써 얻는 보너스와도 같은 잉여 가치를 뭐라고 했지?
오 예~, 보너스~.

그래. 바로 '특별 잉여 가치' 라고 하지.
정답
특별 잉여 가치

이 문제를 맞힌 친구에게 별 하나를 쏠게. 와~, 벌써 별이 5개 모였네! 오우, 조만간 '마르크스 박사' 가 탄생하겠는걸.

자본가들은 잉여 가치를 모으고 모아 자본을 두둑이 축적하여

다른 자본가들보다 발 빠르게 새로운 기술과 기계, 설비 등을 개발하고
나 먼저 간다, 잉~!
헉

생산에 도입해 엄청난 특별 잉여 가치를 벌어.
아싸~, 1등!

새로운 기계와 설비 덕분에 상품을 더 저렴하게 생산해 얻는 특별 잉여 가치는
A회사 원료비 : 80원
100원
B회사 원료비 : 50원
100원

노동 생산성 경쟁에서 이긴 자본가만이 누리는 보너스와도 같은 잉여 가치라고 했었지?
1

기억이 안 나는 친구들은 앞 장을 다시 한 번 살펴보렴.
몇 장이오?
7장!

이렇게 자본을 축적해 자본가가 자신의 자리를 굳혀 가는 동안에도
랄라라~
나도 빨리 자본을 모아야지.

노동자는 노동자의 처지에서 벗어나지 못하는 운명에 발목이 잡히고 만다는 거야.
넌 안 돼!

노동자가 생산한 잉여 가치는 언제나 자본가의 몫이어서
잉여 가치

노동자가 받는 임금은 생활비로 쓰기도 빠듯하지.
모을 돈이 있어야 모으지!

더군다나 확대 재생산이 계속될수록 노동자에게는 더 험난한 가시밭길이 기다리고 있단다.
이건 또 뭐야!

자본가들이 자본을 축적해 확대 재생산을 할수록 생산의 규모도 커져서 더 많은 노동자가 필요할 거라고 생각하겠지만

현실은 정반대야. 오히려 필요한 노동력이 줄어서 해고되는 노동자 수가 늘어나지.
이번 달에 상품이 많이 팔렸다는데 왜 자르지?

왜냐하면 자본 축적으로 노동 생산성이 높아지면, 두 명의 노동자가 하던 일을 한 명이 하더라도 더 많은 상품을 생산할 수 있거든.

그러니 자본가는 노동자들을 해고해서 임금으로 나가는 돈을 아끼는 거지.
아껴야 잘 살지.

이렇게 자본의 축적으로 확대 재생산이 이루어질수록 노동 생산성은 높아져서 실업자가 늘어나.

그리고 실업자가 늘어나면 자본가는 더 값싼 임금을 주고도 얼마든지 노동자를 고용할 수 있게 돼.
월급 100원이면 됩니다.
저는 80원이면 됩니다.
나는 50원!
30원!

그야말로 꿩 먹고 알 먹는 일이지.
너흰 내 밥이야!

물론 자본의 축적이 항상 잉여 가치를 늘려 주는 건 아니야.
와! 선물이… 컥!
퍽

만약 같은 종류의 상품을 만들어 내는 자본가들 간에 노동 생산성을 높이는 경쟁이 벌어졌을 때 패배한 쪽은

자본주의라는 정글에서 더 이상 자본가로 생존하지 못하고 몰락할 수도 있지.
으르릉
캬아~

그래서 자본가들도 자본 축적에 목숨을 걸고 매달릴 수밖에 없는 거야.
이글 이글

마르크스는 노동 생산성 향상으로 일자리를 구하지 못해 실업 상태에 놓인 노동자를 '상대적 과잉 인구'

혹은 언제든 자본가가 불러만 주면 달려가 노동력을 팔 준비가 되어 있는 대기중인 사람이란 뜻에서 '산업 예비군'이라고 불렀어.
충! 성!
언제든 불러만 주십시오!

이 용어들은 노동자들의 현실을 상징하는 가슴 아픈 말이기도 하고, 자본 축적의 결과를 단적으로 표현하는 씁쓸한 말이기도 해.

마르크스는 이런 재생산의 원리에 따라 노동자는 자본가가 될 수 없다고 보았어.
재생산의 원리
자본가

그리고 재생산이 계속될 수 있는 건 결국 자본의 축적이 이루어지기 때문이지.
자본
위이잉~

노동자가 아무리 많은 잉여 가치를 생산해도 자본가가 모두 차지하고, 자본가는 그렇게 차지한 잉여 가치를 자본으로 축적해
빨리 해.

대자본가라는 목표를 향해 달려가는 거야.
대자본가
가자!

그러는 동안 노동자는 계속 노동자로 남을 수밖에 없는 거지.
….

이제 드디어 《자본론》 1권이 끝났구나.
1권 끝

그동안 어렵고 힘든 순간들을 이겨 내고 여기까지 힘차게 달려온 여러분에게 축하의 박수!
짝 짝
짝

그럼 《자본론》 2권에서 새로운 모습으로 다시 만나! bye!
자본론 II
자본론 II

제10장 자본의 순환과 회전이란 무엇일까?

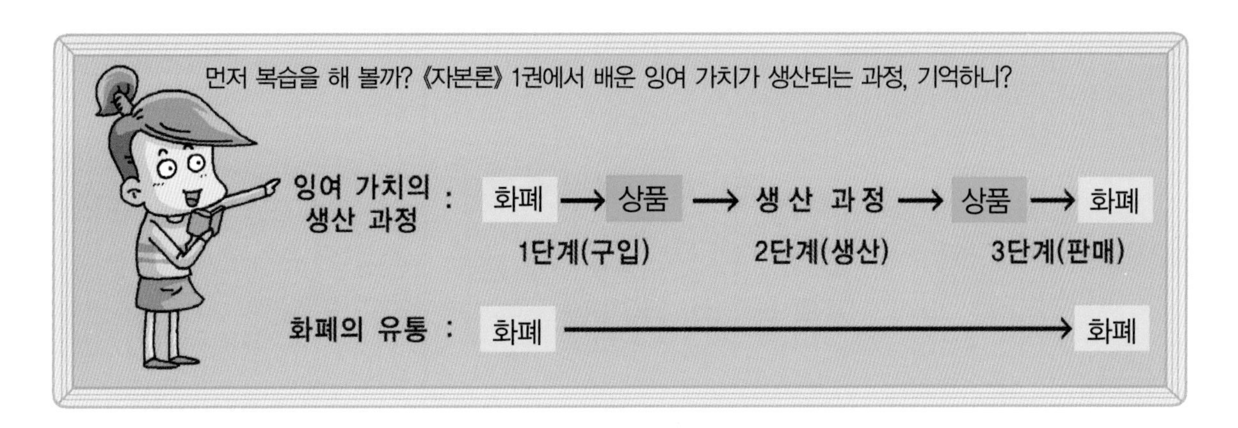
먼저 복습을 해 볼까? 《자본론》 1권에서 배운 잉여 가치가 생산되는 과정, 기억하니?
잉여 가치의 생산 과정 : 화폐 → 상품 → 생 산 과 정 → 상품 → 화폐
1단계(구입)
2단계(생산)
3단계(판매)
화폐의 유통 : 화폐 → 화폐

자본가가 화폐로 생산 수단, 즉 불변 자본인 원료와 기계,
불변자본

가변 자본인 노동자의 노동력을 상품으로 구입하는 것이 1단계,
1단계

노동자의 노동으로 잉여 가치를 가진 상품을 생산하는 게 2단계,
2단계

이 상품을 판매해 자본가가 처음의 화폐(자본)보다 잉여 가치만큼 증가된 화폐를 손에 넣는 것이
잉여
가치
자본

3단계였지. 3단계는 잉여 가치의 생산 과정이었고.
잉여 가치
"3 단 계"
"2 단 계"
"1 단 계"

이 3단계의 모든 과정을 '화폐가 화폐로 돌아오는 과정' 이라고 해서
100
100
휘익

'화폐의 유통' 혹은 '자본의 유통' 이라고 부르죠!

맞아. 5장에서 공부한 내용이었지?
기본이죠.
쓱 쓱

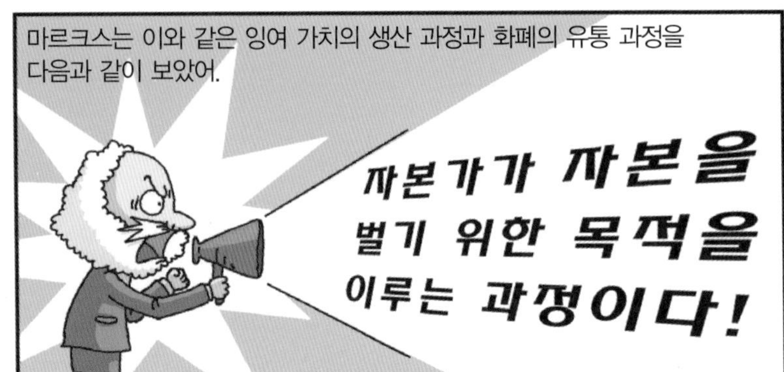
마르크스는 이와 같은 잉여 가치의 생산 과정과 화폐의 유통 과정을
다음과 같이 보았어.
자본가가 자본을
벌기 위한 목적을
이루는 과정이다!

그리고 자본에 초점을 맞춰

자본이 생산 과정에 들어가 더 큰 자본으로 돌아오는
과정이라는 뜻에서 '자본의 순환 과정'이라고 했어.
생산 과정
자본
자본

즉 자본이 점점 더 확대되는 과정을 뜻하지.
생산 과정
자본
자본
생산 과정
자본
생산 과정
자본

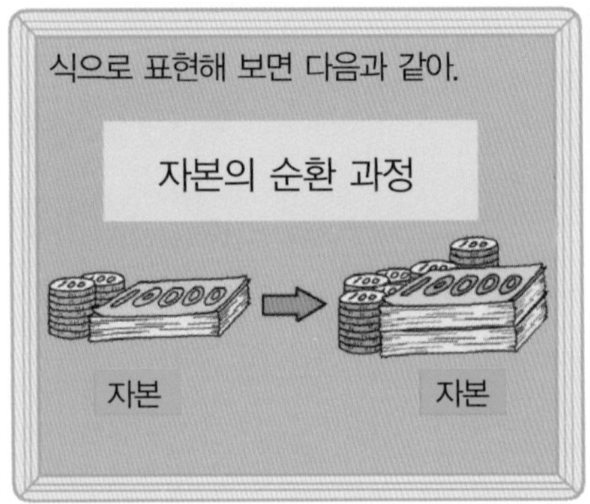
식으로 표현해 보면 다음과 같아.
자본의 순환 과정
자본
자본

그리고 자본의 순환 과정 역시
자본의 성격에 따라
3단계로 나눌 수 있어.
1 자본의
2 순환
3 과정

1단계는 자본가가 자본(화폐)으로
생산 수단이나 노동력을
구입하는 단계야.

이 단계에서는 자본이 상품으로
형태가 바뀌는데
상품

여기서 사용한 자본을 '화폐 자본'
이라고 하지.
화폐 자본
1단계
2단계

자본의 원래 모습은 이 같은
화폐 자본의 모습이야.
화폐자본

3단계의 자본도 '화폐 자본'이라고 하지.

잉여 가치의 생산 과정과 화폐 유통 과정을 자본에 초점을 맞춰 자본의 순환 과정으로 분석해 보면

잉여 가치의 생산 과정 : 화폐 → 상품 → 생산 과정 → 상품 → 화폐

자본의 순환 과정 : 화폐 자본 → 상품 자본 → 화폐 자본

화폐의 유통 : 화폐 → 화폐

자본가의 화폐 자본이 상품 자본으로 그리고 다시 화폐 자본으로 3단계에 걸쳐 변신하는 과정에 불과해.

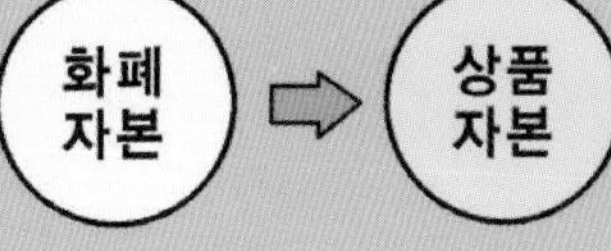

*대부 자본 – 산업가나 산업 종사자에게 빌려 주고 그에 대한 이자를 받으려고 운용하는 자본.

자본이 계속 순환해야 자본가가 계속 돈을 벌 수 있을 테니까.

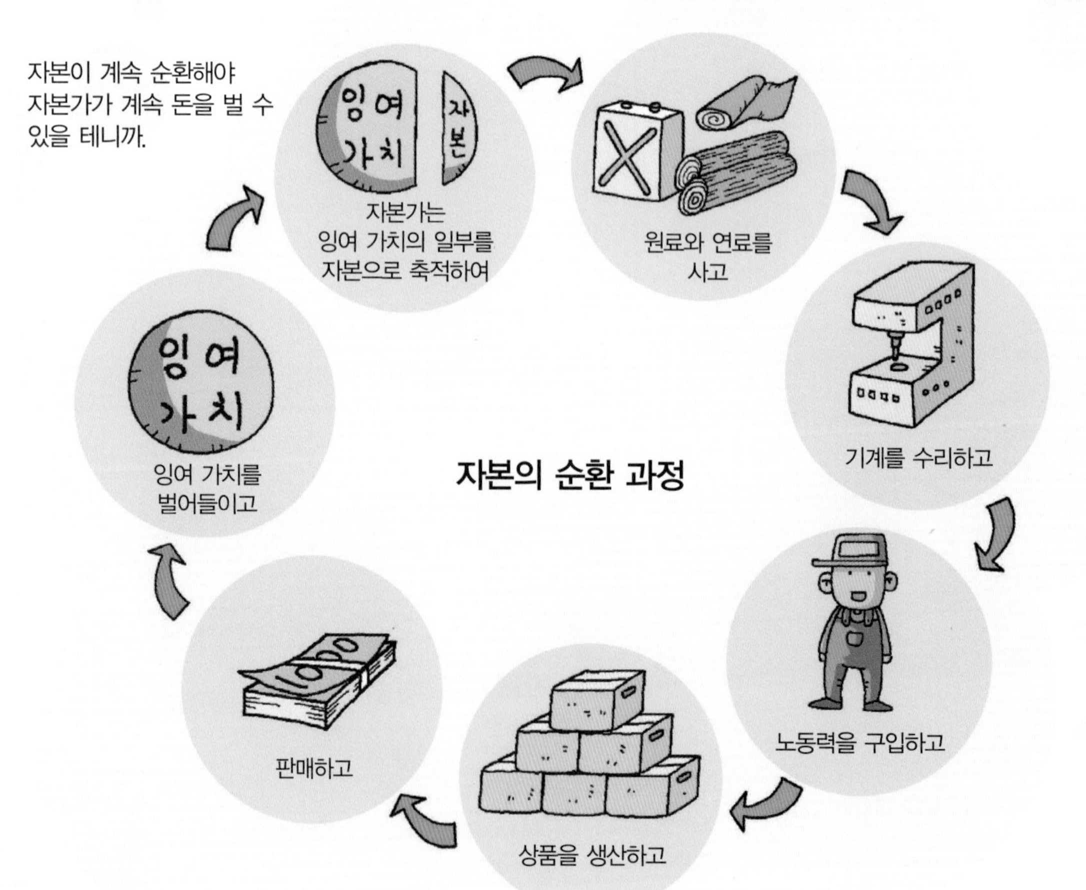

그럼 자본 순환의 회전 운동을 식으로 나타내 볼까?

자본 순환 1 : 자본(화폐) → 상품 → 생산 과정 1 → 상품 → 자본1(화폐1)
생산 수단과 노동력 구입 / 일부 다시 투자

자본 순환 2 : 자본1(화폐1) → 상품 → 생산 과정 2 → 상품 → 자본2(화폐2)
생산 수단과 노동력 구입 / 일부 다시 투자

자본 순환 3 : 자본2(화폐2) → 상품 → 생산 과정 3 → 상품 → 자본3(화폐3)
생산 수단과 노동력 구입 / 일부 다시 투자

⋮

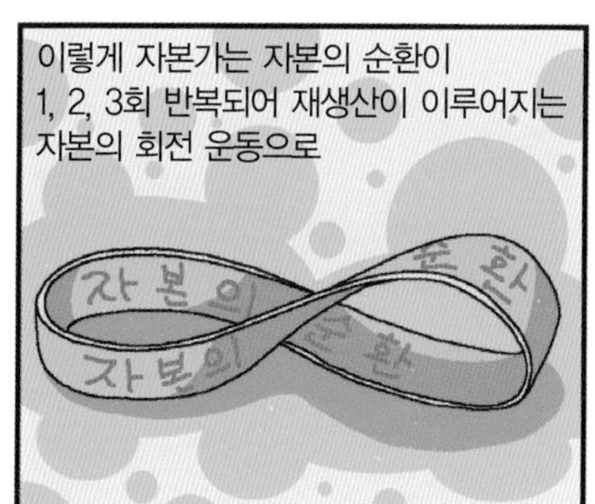

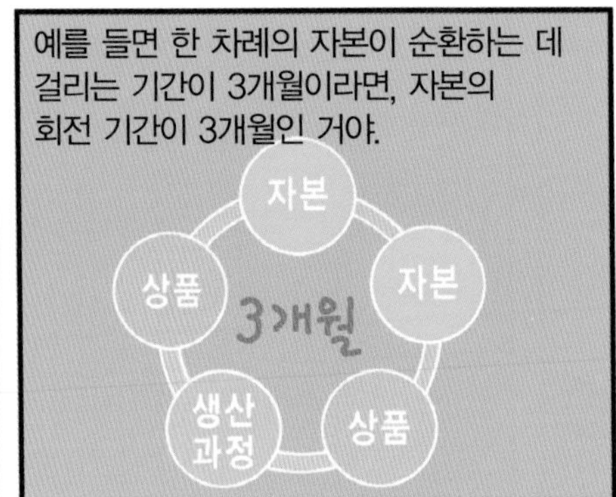

그러면 1년 동안 총 4번의 회전 운동을 할 수 있어.

1월 ~ 3월	총 4회
4월 ~ 6월	
7월 ~ 9월	
10월 ~ 12월	

자본의 순환 기간이 짧으면 짧을수록 자본은 1년 동안 더 많은 회전 운동을 할 수 있고,

자본의 순환 기간	1년 간 회전 운동
12개월	1회
6개월	2회
3개월	4회
2개월	6회
1개월	12회

예를 들어 설명해 볼게. 똑같은 상품을 똑같은 규모로 생산해서 똑같은 잉여 가치를 벌어들이는 A와 B 두 자본가가 있다고 하자.

A 자본가
회전 기간 : 3개월

자본의 회전 기간이 3개월이므로, 12개월(1년)을 회전 기간인 3개월로 나누면 1년에 4차례 자본의 순환이 반복되어 자본의 회전 운동이 4회 이루어짐.

월

1	2	3	4	5	6	7	8	9	10	11	12

회전 기간1 회전 기간2 회전 기간3 회전 기간4

A 자본가의 1년 간 회전 기간 : 총 4회

B 자본가
회전 기간 : 6개월

자본의 회전 기간이 6개월이므로 12개월(1년)을 회전 기간 6개월로 나누면 1년에 2차례의 자본 순환이 반복되어 자본의 회전 운동이 2회 이루어짐.

월

1	2	3	4	5	6	7	8	9	10	11	12

회전 기간1 회전 기간2

B 자본가의 1년 간 회전 기간 : 총 2회

그렇다면 똑같은 규모로 생산을 시작한 A, B
두 자본가 중 1년 뒤 누가 더 돈을 많이 벌었을까?
나야!
나지.

A자본가의 자본이 B자본가의 자본보다 재생산이 두 번
더 이루어졌기 때문에 당연히 A자본가가
B자본가보다 두 배 더 많은 자본을
벌어들였을 거야.

그러니 모든 자본가들이 자본의 회전 기간을 더 짧게
하려고 온갖 방법을 총동원하는 거지.
더 세게
밀어!
자본의 회전 기간

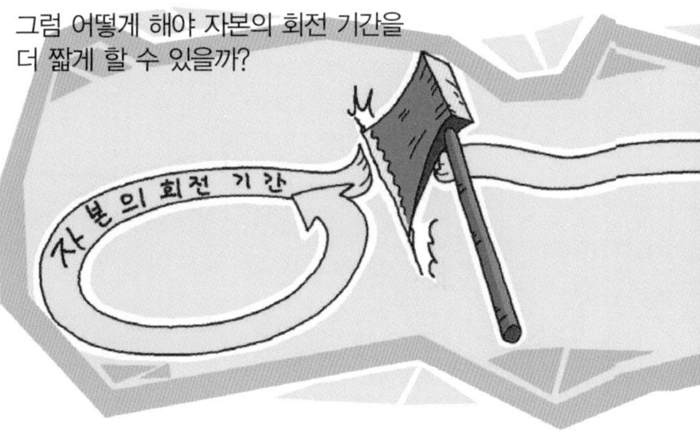
그럼 어떻게 해야 자본의 회전 기간을
더 짧게 할 수 있을까?
자본의 회전 기간

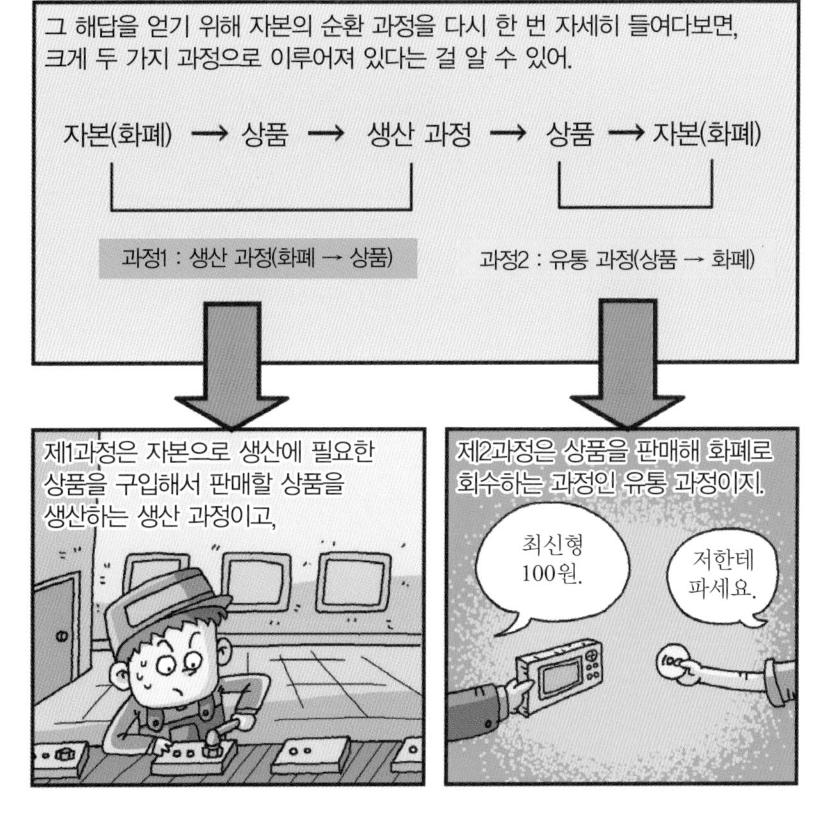
그 해답을 얻기 위해 자본의 순환 과정을 다시 한 번 자세히 들여다보면,
크게 두 가지 과정으로 이루어져 있다는 걸 알 수 있어.
자본(화폐) ⟶ 상품 ⟶ 생산 과정 ⟶ 상품 ⟶ 자본(화폐)
과정1 : 생산 과정(화폐 → 상품)
과정2 : 유통 과정(상품 → 화폐)
제1과정은 자본으로 생산에 필요한
상품을 구입해서 판매할 상품을
생산하는 생산 과정이고,
제2과정은 상품을 판매해 화폐로
회수하는 과정인 유통 과정이지.
최신형
100원.
저한테
파세요.

이렇게 자본의 순환 과정은
생산 과정과 유통 과정으로
이루어져 있다고도 볼 수 있어.
자본의
순환과정
유통과정
생산과정

자본의 회전 기간을 줄여 자본의 순환을 많이 반복하려면 자본의 순환에 걸리는 시간을 줄이면 될 거야.

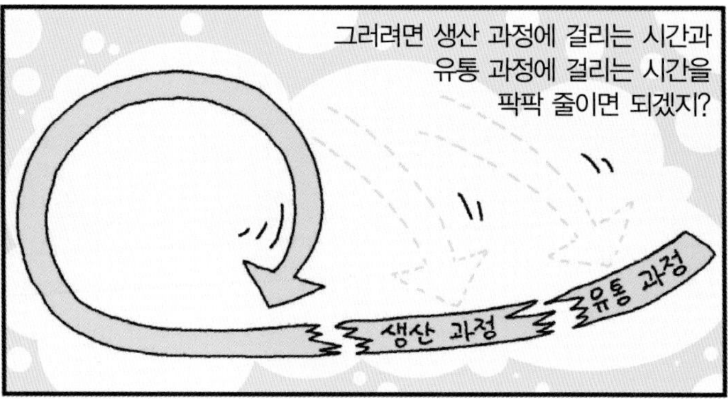
그러려면 생산 과정에 걸리는 시간과 유통 과정에 걸리는 시간을 팍팍 줄이면 되겠지?
생산 과정
유통 과정

생산 과정과 유통 과정에 걸리는 시간을 줄인다는 것은

상품이 생산되기까지 걸리는 시간인 '생산 기간'을 줄인다는 것이고,
상품이 판매되어 화폐를 손에 쥘 때까지에 해당하는 '유통 기간'을 줄인다는 거야.
생산 기간
유통 기간

그럼 생산 기간과 유통 기간을 줄이는 방법이 무엇인지 알아보자.
힘으로는 안 되는구나!
力
유통 기간
생산 기간

물론 이 방법은 배운 내용을 응용하면 쉽게 답을 구할 수 있어.
앞에서 배웠던 거야!

먼저 생산 기간을 줄이는 가장 좋은 방법은 이것을 높이면 돼. 과연 무엇일까?
?

이 문제에 마지막 여섯 번째 별을 걸게.

노동 생산성이오!

그렇지. 바로 노동 생산성을 높이면 되지.
노동 생산성

최신 기계나 새로운 생산 기술을 도입하면 생산 기간이 단축돼 생산량이 마구 증가한다고 이미 배웠잖아.

그래서 자본가들이 이 부분에서 가장 치열하게 경쟁한다는 것도 말이야.

돈을 벌 수 있는 가장 확실한 방법이라고도 했었어.
노동 생산성

자, 별 6개를 받은 친구가 누구지?
저예요!
5개.
3개.

약속대로 '마르크스 박사' 칭호를 부여할게.

마르크스 박사에게 큰 박수를!
마르크스 박사
별 6개를 모은 독자 여러분들도 모두 축하해요!

꼭 이 방법이 아니더라도 단순 무식하지만 방법이 있기는 해.
이렇게 힘을 쓰는 방법?
그게 아니라….
빡

하루 10시간 노동으로 만드는 데 6일 걸리는 상품이 있다고 하자.

어떻게 하면 생산 기간을 단축할 수 있을까?
노동 시간을 팍팍 늘리면 되잖아요.

맞아. 노동 시간을 하루 10시간에서 12시간으로 2시간 더 늘리면,
10시간
12시간

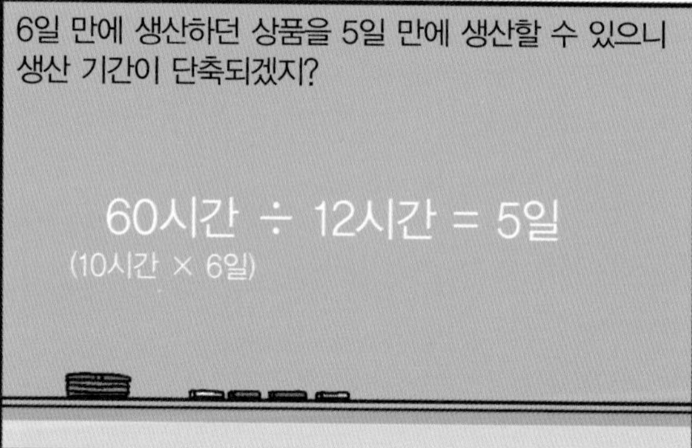
6일 만에 생산하던 상품을 5일 만에 생산할 수 있으니 생산 기간이 단축되겠지?
60시간 ÷ 12시간 = 5일
(10시간 × 6일)

하지만 이 방법은 노동자를 마구 괴롭히고 혹사시키는 방법이라서 단순 무식하다고 한 거야.

이쯤에서 어렵지만 꼭 짚고 넘어가야 할 문제가 있어.

생산을 하는 데 사용하는 원료나 기계 같은 불변 자본과 노동자의 노동력인 가변 자본은 회전 기간이 서로 다르다는 거야.
≠

무슨 말인지 모르겠지? 쉽게 설명해 줄게.
모르겠어요~.

자, 생각해 봐. 생산에 사용하는 기계는
거금을 들여 한 번 구입하면
비싸다!

수명이 다할 때까지 오래도록 사용할 수 있잖아.
50년 후
위이잉~
아직도
움직이네?

그래서 한 번 구입하면 생산을
반복할 때마다 기계를 새로 살
필요가 없지.
있는데
뭐하러
또 사!

간단한 수리비 정도는 들겠지만,
이렇게 한 번 구입하면 다시 자본을
들일 필요가 없는,

기계와 같은 불변 자본을
'고정 자본'이라고 해.
고정됐어.
고정 자본

하지만 노동자의 노동력은 어때? 원료와 재료, 연료는
어떻고? 한 번 상품을 생산하고 나면 다 소모되기 때문에
월급
주세요~.
텅~

생산을 반복할 때마다 새롭게 구입해야 하잖아.
노동자들에게도 매번 계속해서 임금을 주어야 하고.
오예~
콸콸~

그래서 원료, 연료, 노동력 등은 생산할 때마다 다시
자본을 들여 구입해야 한다는 뜻에서
'유동 자본'이라고 해.
움직일 수
있지!
유동 자본

그런데 왜 이런 어려운 말을 하는지 궁금하지?
머리 아파도 조금만 참고 생각해 보자고.

고정 자본인 기계는 일단 자본을 투자하면 자본을 다시 투자할 때까지 사용 기간이 아주 길어.
자본의 회전 기간이 길다는 얘기지.
위이잉~
위이잉~

반면 원료와 연료, 노동력과 같은 유동 자본은 생산이 반복될 때마다 다시 자본을 들여 구입해야 하기 때문에
자본의 회전 기간이 상대적으로 짧을 수밖에 없어.

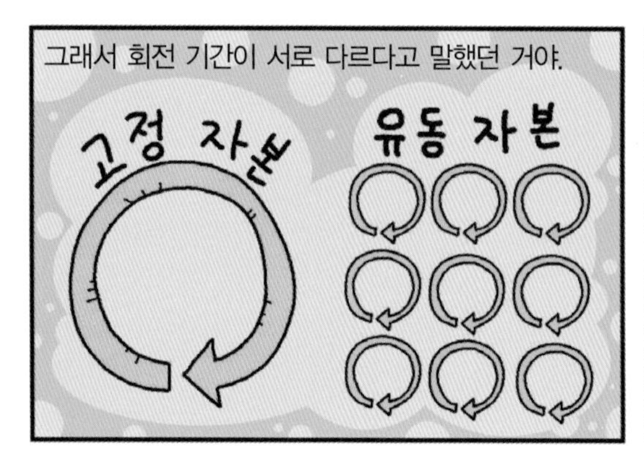
그래서 회전 기간이 서로 다르다고 말했던 거야.
고정 자본
유동 자본

그럼 고정 자본과 유동 자본의 회전 기간이 서로 다르다는
것이 자본가에게는 어떤 의미가 있을까?

자본가는 많은 자본을 들여 산 기계를 다 닳거나 고장 나서 더 이상 쓸 수 없을 때까지 사용하고 또 사용해.

즉 자본의 순환을 반복하고 또 반복해서 생산하고, 회전 운동을 많이 시켜서 잉여 가치를 벌 수 있을 때까지 최대한 벌어들이려 한다는 거지.
한 번이라도 더!

이 말을 달리 표현하면, 고정 자본인 기계를 새로 구입하기 위해 자본을 다시 투자하기 전까지, 유동 자본의 회전을 최대한 많이 반복하겠다는 뜻이야.

생산 기간을 단축해 최대한 많이 생산해서 더 많은 잉여 가치를 벌어들이겠다는 뜻이기도 하지.
잉여 가치

그렇다면 자본의 유통 기간을 단축시키는 방법에는 무엇이 있을까?

유통 기간이란 상품을 팔아서 화폐로 회수하는 데 걸리는 기간을 뜻해.
제주 감귤
제주 감귤
제주 감귤

생산한 물건을 비행기나 기차 등 빠른 교통 수단을 이용해
777

시장이나 백화점 등에 신속하게 운송하면 유통 기간을 단축시킬 수 있을 거야.
SALE

다른 자본가들보다 더 많은 시장이나 판매처를 확보해 상품을 파는 것도 한 방법일 테고.
A 백화점
A 상가
C 백화점
B 마트
B 백화점
홈 마이너스
D 상가
C 상가
홈 에보
C 마트
D 백화점

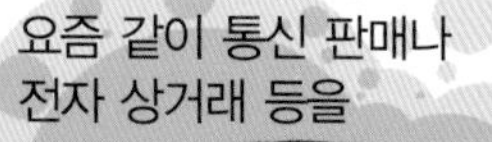
요즘 같이 통신 판매나
전자 상거래 등을

이용할 수 있었다면
유통 기간이 획기적으로
줄었겠지만

마르크스가 살던 시대에는 없었으니
안타까울 뿐이지.
컴퓨터…, TV…,
인터넷? 그게 뭐야?
먹는 거야?

어쨌든 유통 기간을
줄이려면 무엇보다도

자본가는 상품을 생산하는
일에만 집중하고,
집중
집중
집중
집중
생산

판매하는 일은 다른 사람의 몫으로 넘겨야 해.
자, 골라, 골라.
잡아, 잡아, 골라!

즉 판매만을 전문으로 하는 상인, 어려운 말로
상업 자본가들에게 넘겨주면
부탁해.
판매
생산

산업 자본가는 생산만을, 상업 자본가는 판매만을 전담해
생산 기간과 유통 기간을 모두 단축할 수 있지.
생산
생산
생산
생산
생산
판매
판매
판매
판매
판매

자, 이렇게 생산 기간과 유통 기간을
줄여서
생산 기간
유통 기간

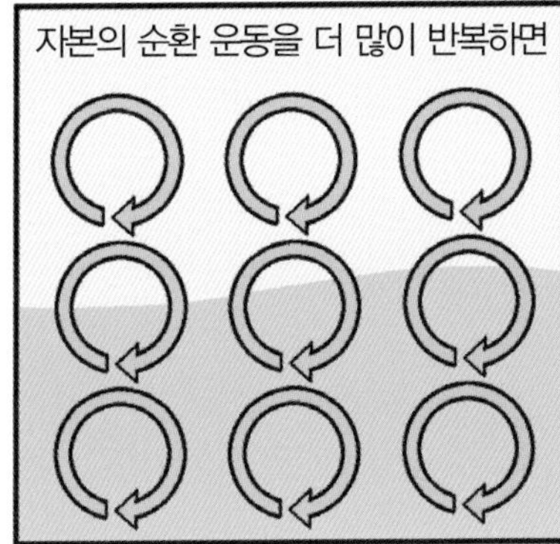
자본의 순환 운동을 더 많이 반복하면

자본의 회전 기간이
짧아지니까 자본가는 더 많은
자본을 벌어들일 수 있지.
1000

다시 한 번 강조하면 이렇게 자본을 향한 자본가의 무한 욕망은 끊임없이 계속된다는 거야.
그럼 다음 시간에 만나.

자본의 변신

자본주의 경제를 움직이는 동력인 자본. 19세기 산업 자본에서 20세기 독점 자본을 거쳐, 오늘날 금융 자본에 이르기까지 자본의 변신 과정을 낱낱이 파헤쳐 봅시다.

산업 자본

산업 혁명을 거치면서 축적된 자본이 기계화를 촉진해 대량 생산 체제로 이윤을 창출하는 단계를 말합니다. 마르크스는 《자본론》 3권에서 산업 자본 외에 잉여 가치의 배분에 관여하는 다양한 자본에 대해서도 언급했습니다.

① 상업 자본

상품의 유통 과정을 통해 이윤을 얻는 자본입니다. 마르크스는 상업 자본가들이 벌어들이는 상업 이윤이 마치 유통 과정에서 발생하는 것처럼 착각을 일으키지만, 사실은 생산 과정에서 노동자가 만들어 낸 잉여 가치 일부를 나누어 갖는 것에 불과하다고 주장했습니다.

② 대부 자본

산업 자본가에게 화폐 자본을 빌려주고 이자를 벌어들이는 자본입니다. 오늘날 자본주의 국가의 대표적인 대부 자본으로는 은행이나 금융 기관을 들 수 있습니다. 마르크스는 대부 자

▲ 1694년에 세워진 잉글랜드 은행

본의 이자 이윤 역시 상업 자본과 마찬가지로 노동자가 만들어 낸 잉여 가치를 배분받은 것일 뿐이라고 보았지요.

③ 지대(地代, rent)

토지를 소유한 지주들이 자본가에게 공장을 세울 부지를 빌려주고 그 대가로 일정한 이윤을 받는 것입니다. 마르크스는 지대(地代)의 원천 역시 노동자가 만들어 낸 잉여 가치의 일부이므로 이 또한 잉여 가치를 착취하는 한 형태로 보았습니다.

독점 자본

20세기에 접어들어 자본의 집중과 집적이 더욱더 활발해지는 단계를 말합니다. 19세기 말~20세기에 걸쳐 대자본을 필요로 하는 중공업이 급속히 성장하고 주식회사 형태의 대기업이 등장하면서 소자본가들은 대자본가와의 경쟁에서 탈락해 사라져 갔습니다. 그러면서 소수의 대자본가에게 자본이 집중되어 거대 독점 자본이 탄생했지요. 독점 자본은 국내의 정치, 경제, 사회 전반을 강력하게 지배하고 더 나아가 다수의 약소국을 식민지화하여 자국의 경제 속국으로 삼는 제국주의 침탈을 자행했습니다.

▲ 1963년 뉴욕의 증권 거래소

금융 자본

산업 자본과 결합한 은행 독점 자본을 뜻합니다. 산업 자본, 상업 자본, 대부 자본 등 모든 자본을 통합한 형태이지요. 금융 자본 단계의 가장 큰 특징은 상품을 수출하는 것이 아니라 자본을 수출한다는 것입니다. 거대한 금융 자본은 전 세계를 투자처로 삼아 독점적인 지위를 누리면서 국제적인 지배력을 강화하지요.

마르크스가 《자본론》 1권과 2권을 통해 했던 많은 이야기를 두 단어로 요약하면

상품의 가치는 노동자의 노동에서 만들어진다는 노동 가치설과

노동자가 생산한 가치 중 잉여 가치를 자본가들이 부당하게 착취한다는 잉여 가치설이라고 할 수 있어.

《자본론》 3권은 자본주의를 지탱하는 이 두 가지 원리가 어떤 결과를 가져오는지 분석했단다.

그런데 왠지 심각한 문제가 도사리고 있을 것 같지 않니?

《자본론》 3권은 자본주의가 가진 심각한 문제들이 무엇이고, 왜 그런 문제들이 발생하는지 밝혀내고 있어.

일명 '자본주의의 모순과 위기'에 대한 경고를 담고 있지.
자본주의

자, 그럼 지금부터는 자본주의 위기가 어디서부터 어떻게 시작되는지 파헤쳐 보도록 하자.
어디서 부터가 시작이야?

지금껏 수없이 사용한 잉여 가치라는 말은 따지고 보면 노동자들의 입장을 대변하는 말이야.
잉여가치

자본가들은 마르크스가 주장하는 바, 즉 자본가가 노동자들이 생산한 잉여 가치를 부당하게 빼앗아 자신의 부를 쌓는다는 것을 인정하지 않거든.
잉여 가치는 노동자들의 노동에 의해서 생산된다.
웃기는 소리 하지 마라!

그래서 자본가들은 잉여 가치라는 말 대신 '이윤'이라는 말을 사용하지.
잉여가치
이윤

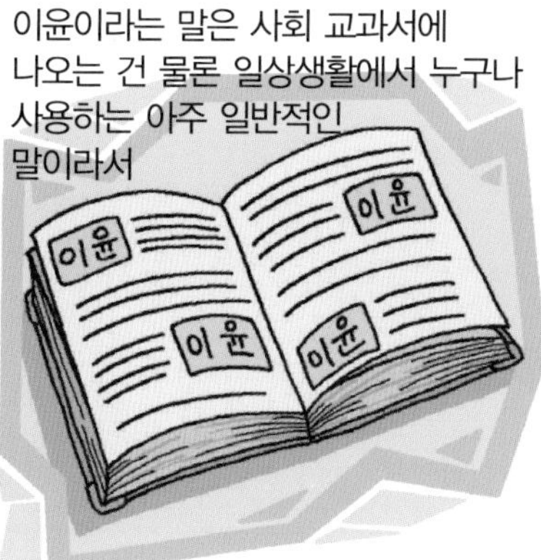
이윤이라는 말은 사회 교과서에 나오는 건 물론 일상생활에서 누구나 사용하는 아주 일반적인 말이라서
이윤
이윤
이윤
이윤

아마 잉여 가치보다 더 익숙할 거야.
이윤
이윤
이윤
이윤
이윤
이윤
이윤
이윤

이윤이라는 말에는 잉여 가치에 들어 있는 '노동자 착취' 같은 어두운 느낌 대신
잉여 가치

자본가가 노력한 만큼 벌어들인 정당한 대가라는 아주 긍정적인 의미가 담겨 있기도 해.
이윤

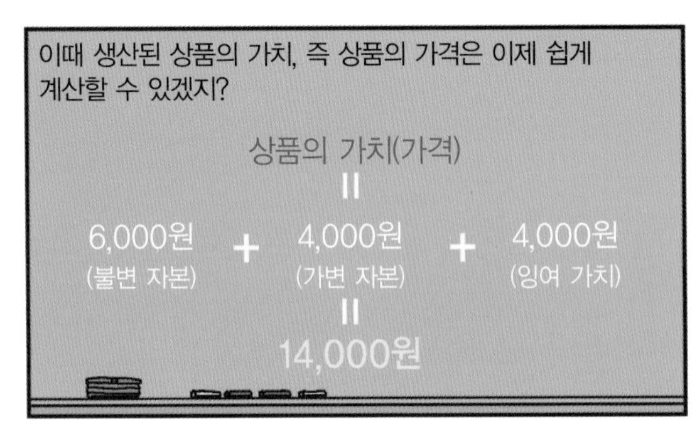

노동자에 대한 착취 정도는 자본가가 얻은 잉여 가치의 정도와 의미상 같거든.

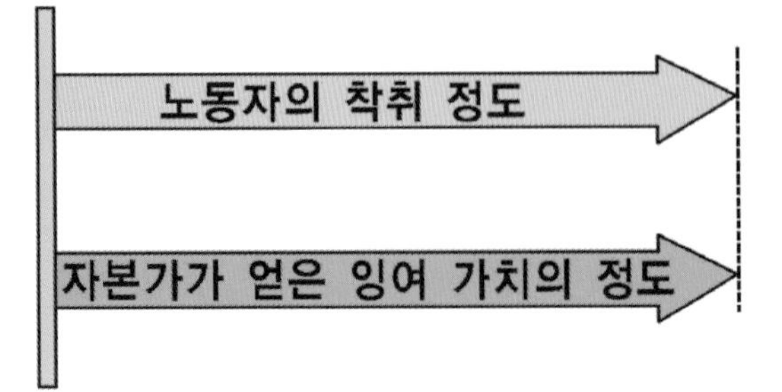

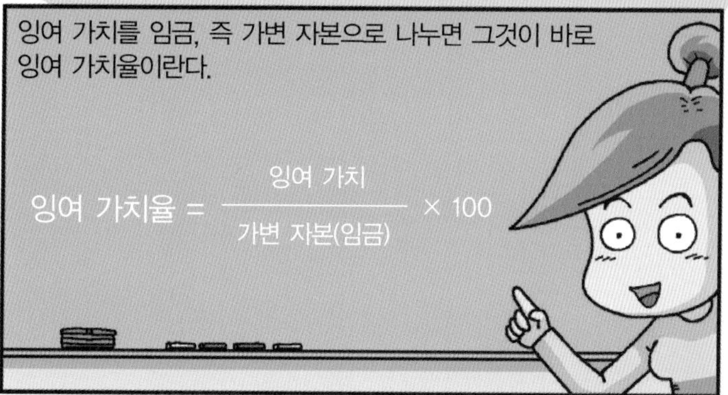

이 식에 앞에서 말한 생산을 대입해 보면 잉여 가치율이 100%임을 알 수 있어.

$$\text{잉여 가치율} = \frac{\text{4,000원(잉여 가치)}}{\text{4,000원(가변 자본)}} \times 100 = 100\%$$

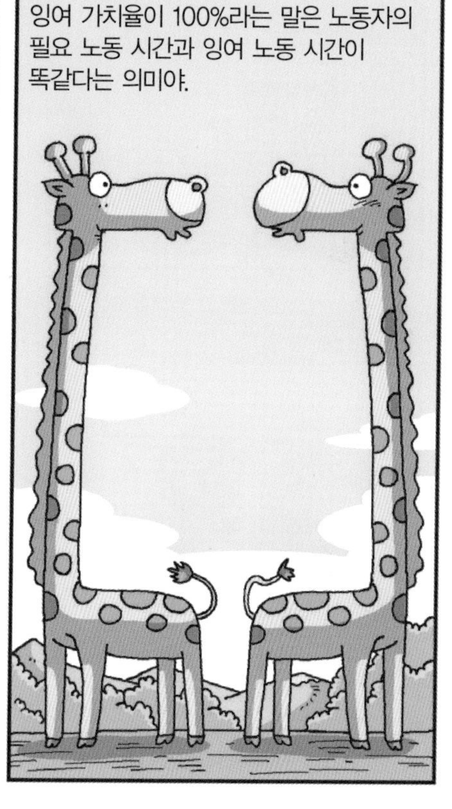

그런데 이런 마르크스의 주장을 인정하지 않는 자본가의 입장에서는 위의 생산이 어떻게 받아들여질까? 한번 비교해 보자.
노동자의 입장
자본가의 입장
A자본가가 10,000원의 자본을 가지고
10000
불변 자본 6,000원을 구입하고
가변 자본 4,000원을 구입하여
노동자가 생산한
잉여 가치
4000
잉여 가치(이윤) 4,000원을 얻었다.

똑같은 생산이지만 자본가의 입장과 노동자의 입장이 어떻게 다른지 알 수 있겠지?

자본가는 잉여 가치를 어디서, 누가, 어떻게 생산했는지에 대해
잉여 가치?

그리고 노동자의 노동으로 생산됐다는 것에 대해 관심이 없어.
이윤이나 벌러 가자.
몰라요! 관심없어요.
휙

이윤율은 잉여 가치율처럼 잉여 가치를 가변 자본으로 나누는 것이 아니라, 불변 자본과 가변 자본을 합한 생산 비용(불변 자본 + 가변 자본)으로 이윤을 나누어 구한단다.

$$\text{이윤율} = \frac{\text{이윤}}{\text{생산 비용(불변 자본 + 가변 자본)}} \times 100(\%)$$

이 식으로 A자본가가 벌어들인 이윤율을 구하면 이윤율은 40%가 되지.

$$\text{이윤율} = \frac{\text{이윤(4,000원)}}{\text{생산 비용(10,000원)}} \times 100(\%) = 40\%$$

똑같은 생산을 토대로 구한 이윤(40%)은 잉여 가치율(100%)보다 낮은 수치로 나와. 그 이유는,
100
잉여가치율
40
이윤율

잉여 가치율은 잉여 가치를 생산하는 원천이 노동자의 노동이기 때문에

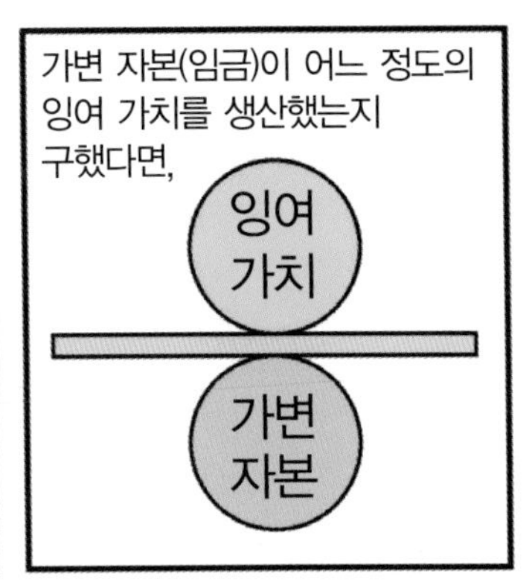
가변 자본(임금)이 어느 정도의 잉여 가치를 생산했는지 구했다면,
잉여 가치
가변 자본

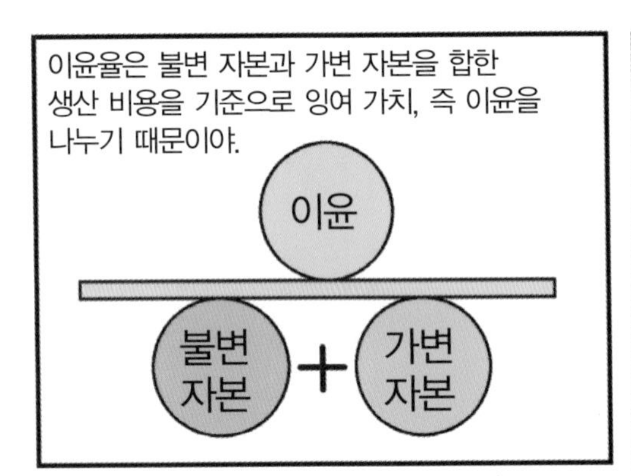
이윤율은 불변 자본과 가변 자본을 합한 생산 비용을 기준으로 잉여 가치, 즉 이윤을 나누기 때문이야.
이윤
불변 자본
+
가변 자본

그런데 무엇보다 잉여 가치율과 이윤율의 가장 큰 차이는
잉여가치율
이윤율

잉여 가치율은 노동자에 대한 착취율을 의미하지만,
이건 착취야!
잉여 가치율

이윤율은 단지 생산 비용(불변 자본+가변 자본)이 어느 정도의 이윤을 남겼는가를 나타낼 뿐이라는 거지.
불변 자본
+
가변 자본

이렇게 '잉여 가치율'과 '이윤율'은 노동자와 자본가 사이에 존재하는 엄청난 생각의 차이를 상징적으로 보여 준단다.
잉여 가치율
이윤율

마르크스가 자본주의를 바라보는 시선과 자본가가 자본주의를 바라보는 시선이 어떻게 다른지 단적으로 나타내는 거지.
자본주의

* 진화론 – 생물이 극히 원시적인 것에서 진화하여 고등한 것이 되었다는 이론.

따라서 이윤율 경쟁은 브레이크가 고장난 자동차들의 질주 같다고나 할까. 그렇게 끝이 안 보이는 경쟁을 계속할 수밖에 없다는 거지.

이것이 바로 마르크스가 지적한 자본주의의 운명이고 위기인 거야.
내가 경고했었지!

또한 자본은 본능적으로 더 높은 이윤율을 쫓아 움직이는 속성을 가지고 있어.
이윤
이윤
이윤
이윤

예를 들어 자동차 산업의 이윤율이 휴대전화 산업의 이윤율보다 더 낮을 경우
이윤율
이윤율

자동차 생산에 투자된 자본이 더 높은 이윤율을 쫓아 휴대전화 산업 분야로 몰리는 거지.
웅성
웅성
웅성

그러면 자동차 생산에 투자된 자본이 줄어드니까 생산의 규모도 줄어 자동차 공급이 줄어들고,
자동차 있어요?
없는데요….
자동차 대리점

자동차 공급이 줄어들면 자동차 값은 오를 거야.
200
400

그럼 자동차 산업의 이윤율이 높아져서 좋은 거 아닌가요?

그래. 하지만 반대로 휴대전화 생산에 몰린 자본으로 인해 휴대전화 생산량이 늘면 휴대전화 가격은 떨어질 거야.
떨어진다.

그 결과 휴대전화 산업의 이윤율은 낮아질 거고.
이윤율

전체 자본, 즉 개별 자본을 다
합친 사회적 총자본의 입장에서
보면

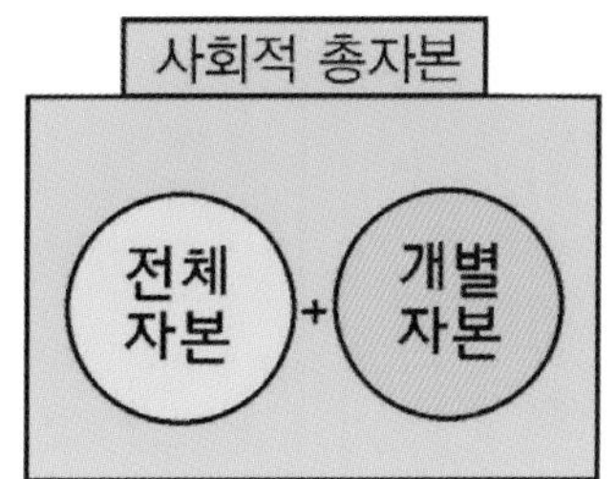

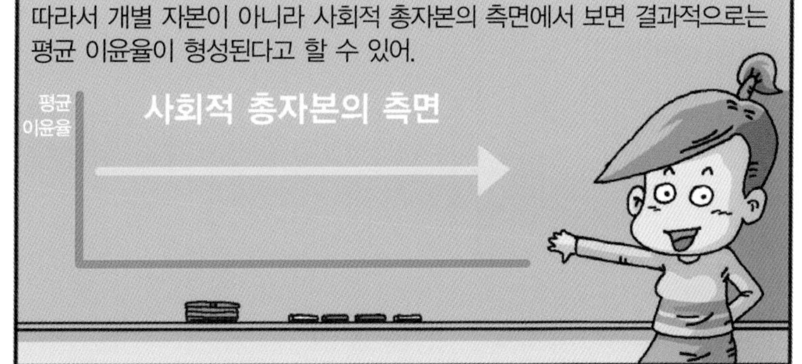

그래서 사회적 총자본을 투자해 얻어지는 사회적 총이윤은

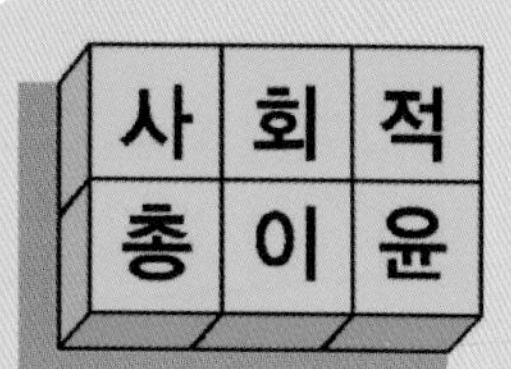

어떤 자본가는 평균 이윤율보다 높은 이윤율을 얻어 경쟁에서 살아남고,

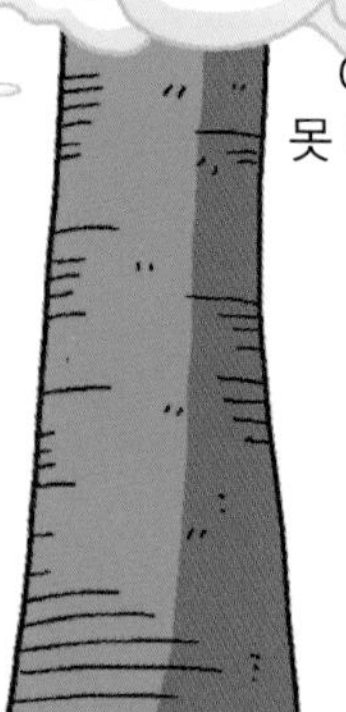

어떤 자본가는 평균 이윤율에도 못 미치는 낮은 이윤율로 공장문을 닫아야 할 처지에 놓여 있지.

그런데 자본가들이 이윤율을 높이기 위해 경쟁하면 할수록 역설적*으로 이윤율이 점점 낮아지는 상황,

꾸에엑
으악
이윤율
으악
이얏!

*역설적 – 어떤 주장이나 이론이 겉보기에는 모순되는 것 같지만 그 속에 중요한 진리가 담겨 있는 것.

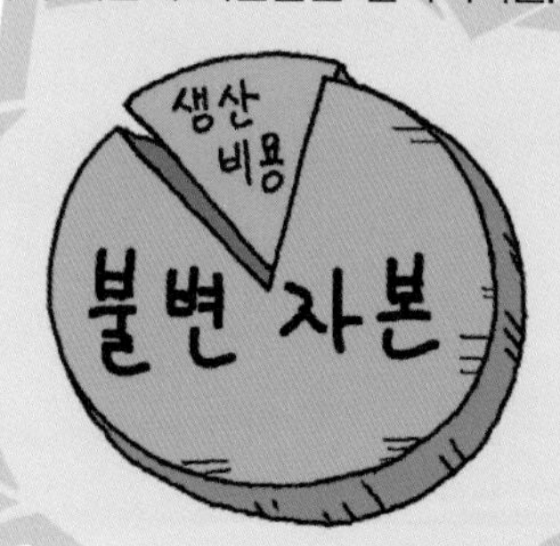

예를 들어 A자본가가
총 생산 비용 10,000원의
자본으로
A
10000

불변 자본 7,000원과 가변 자본 3,000원을
구입하여 생산한 뒤
7,000 원
3,000 원

이윤 3,000원(잉여 가치 3,000원)
을 벌었다고 가정하고

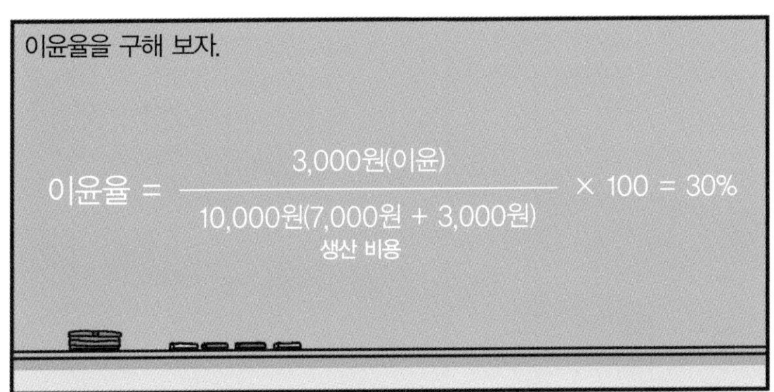
이윤율을 구해 보자.
이윤율 = 3,000원(이윤) / 10,000원(7,000원 + 3,000원) × 100 = 30%
생산 비용

이때 A자본가가 이윤 3,000원 중
2,000원을
A

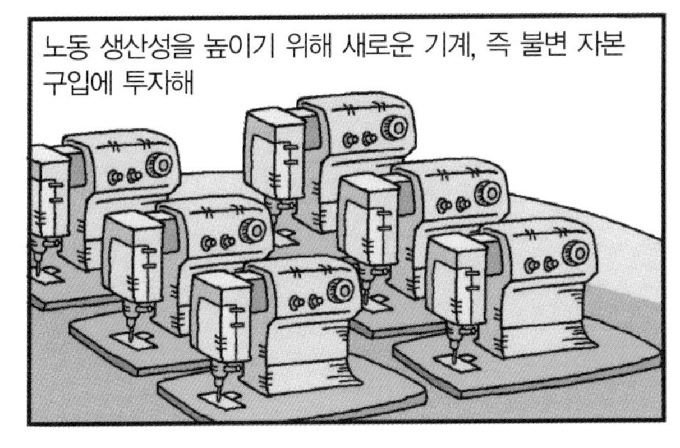
노동 생산성을 높이기 위해 새로운 기계, 즉 불변 자본
구입에 투자해

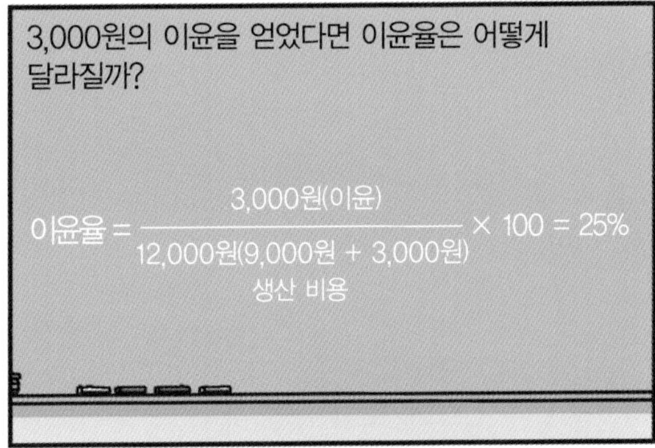
3,000원의 이윤을 얻었다면 이윤율은 어떻게
달라질까?
이윤율 = 3,000원(이윤) / 12,000원(9,000원 + 3,000원) × 100 = 25%
생산 비용

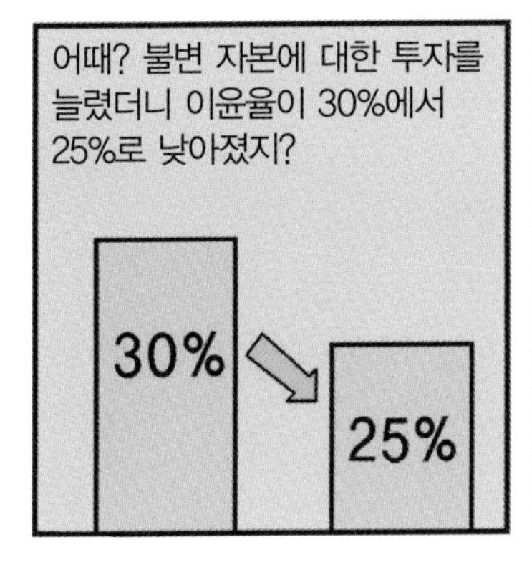
어때? 불변 자본에 대한 투자를
늘렸더니 이윤율이 30%에서
25%로 낮아졌지?
30%
25%

이처럼 자본가들이 노동 생산성을
향상시키기 위해 불변 자본에 대한
투자를 늘릴수록,
불변 자본

가변 자본에 투자한 자본보다
불변 자본에 투자한 자본이
상대적으로 증가하지.
불변 자본
가변 자본

즉 자본의 유기적 구성이 높아져
이윤율이 점점 낮아지는 거야.

그런데 여기서 잠깐! 이윤과 이윤율을 혼동해선 안 돼.
이윤율이 낮아진다고 해서 자본가가 벌어들이는
이윤이 줄어드는 건 아니란다.
이윤율 ≠ 이윤

자본가들이 노동 생산성을 향상시키기 위해 노력하면 할수록
이윤율이 낮아지는 역설적인 상황을
떨어지면 안 돼!
이윤율

자본가들이 그대로 보고만 있지는
않을 거야.
나이스 캐치!
착!
이윤율

그럼 자본가가 이윤율 저하를 막기
위해 내민 비장의 카드는 무엇일까?
잉여 가치율을 높이는 것과 같은
방법을 쓰는 거지. 잉여 가치율이
높아지면
잉여 가치율
이윤율도
높아지니까.
이윤율
잉여 가치율이 뭐라고 했지? 그래.
노동자에 대한 착취율이지.
그러니까 보나마나 노동자를
더 많이 착취하는 방법인 거지.
노동자 착취
(잉여 가치율 높이기)

노동자를 더 많이 착취하는 방법에는
이런 것들이 있을 테고.

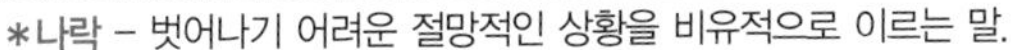
*나락 – 벗어나기 어려운 절망적인 상황을 비유적으로 이르는 말.

제12장 자본주의의 모순과 위기

자, 그럼 자본주의를 향한 마르크스의 경고, 과도한 이윤 경쟁이 초래할 자본주의의 어두운 그림자가 무엇인지 그 답을 찾아보자.

《자본론》의 마지막을 향해 힘차게 달려 보자고.
FINISH

지금부터는 자본주의의 모든 상품 생산 과정을 숲과 나무에 비유해서 살펴볼 거야. 즉 전체와 부분의 입장으로 나누어 살펴보겠다는 거지.

먼저 나무의 입장, 즉 전체가 아닌 부분의 입장에서 자본주의의 상품 생산을 들여다보면

수많은 자본가들이 생산이라는 작은 수레바퀴를 이곳저곳으로 굴리며 이윤 경쟁을 벌이는 모습이 보이지?

그럼 이번엔 높은 산에 올라가 세상을 내려다보듯이, 숲의 입장, 즉 부분이 아닌 전체의 입장에서 자본주의 생산을 들여다보자.

당연히 개별 자본이 합쳐진, 하나의 거대한 사회적 총자본이
두~둥
사회적 총자본

'자본주의' 라는 어마어마하게 큰 수레바퀴를 굴리고 있는 모습으로 보일 거야.
자본주의

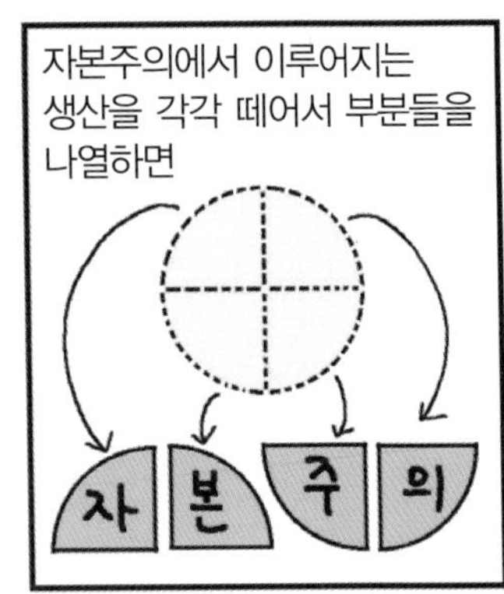

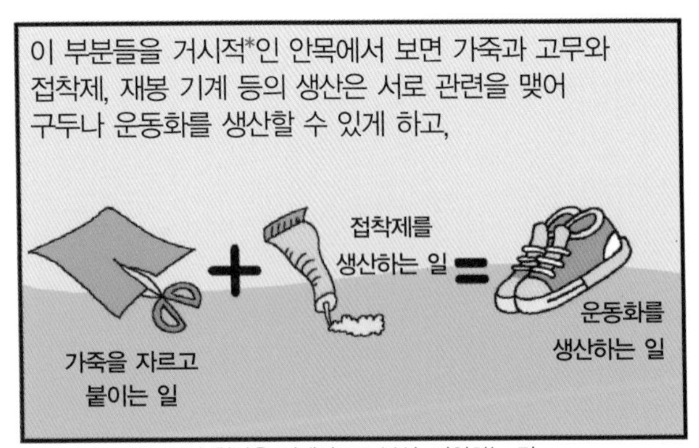

* 거시적 – 사물이나 현상을 전체적으로 분석·파악하는 것.

즉 생산 1과 생산 2지.

생산 1	생산 수단을 생산하는 생산
생산 2	생활필수품이라는 소비재를 생산하는 생산

생산 2에서 만들어진 소비재는 생산 1의 생산을 담당하는
자본가와 노동자가 살아가는 데 없어서는 안 될-생활필수품이
되기 때문에
신발 만드는
노동자

자본주의에서 이루어지는 모든 생산은 결국
이 '생산 1'과 '생산 2' 중 하나에 속한다고
볼 수 있어.
자본주의 메뉴
생산 1
생산 2
-끝-

또한 이 두 생산은 서로 밀접한 관계를
유지하며
요즘
별일 없어?
그저 그래.
생산
1
생산
2

자본주의 생산이라는 지붕을
떠받치는 두 기둥의 역할을 하지.
자본주의
생산
1
생산
2

이렇게 《자본론》 1,2권에서
다룬 내용은 개별 자본에
초점이 맞추어져 있었어.
개별
자본

반면 《자본론》 3권은 개별 자본을 합한 사회적 총자본이
어떻게 자본주의 생산을 이끌어 가는지에 주목해.

그런데 이렇게 자본주의를
전체적인 관점에서 분석해 보면
자

부분적인 관점에서 접근할 때는 잘 안 보이던
자본주의의 문제점을 뚜렷하게 볼 수 있기 때문에
자본주의
문제가
심각하군.

자본주의가 안고 있는 모순과 위기를 진단할 수 있지.
어디 보자….

마르크스는 이렇게 전체적인 관점에서 파악한 자본주의 생산의 문제를 '자본주의의 모순'이라고 불렀어.
모순이다!

마치 창과 방패처럼 서로 대립되는 성질로 인해 하나로 합치기 힘든 문제를 '모순(창 矛, 방패 盾)'이라고 하지.

그렇다면 마르크스가 지적한 자본주의의 모순은 과연 무엇일까?

신발을 만드는 원료가 되는 고무나 가죽을 생산하는 자본가나,
가죽을 자르거나 붙이는 기계를 생산하는 자본가,
원료와 기계를 도입해서 신발을 만드는 자본가

모두 개별적으로 생산하고 있지만

자본주의라는 큰 틀 안에서 서로 돕고 관계를 맺어야 한다는 건 잘 알 거야.
자본주의

즉 생산은 사회성을 가져야 한다는 거지.

이기적인 인간이 사회 전체에 별 도움이 안 되듯이 개별 생산도 이기적인 생산 태도를 갖기보다는
흥!

다른 개별 생산들과 협조하면서 조화를 이루어야 한다는 거야.
짜
잔

너무 당연한 말을 반복하니까 이상하다고?

그런데 막상 생산이 이루어지는 현실로
돌아오면 이런 사회적인 성격은
온 데 간 데 없어지고,

하이에나처럼 오직 이윤만을 쫓는 살벌한 경쟁이 벌어져.
으르릉
크릉
이 윤

현실의 개별 자본가들은 생산이 가져야 할 사회적인
성격을 염두에 두지 않고
사회적
성격
뻥

오로지 어떻게 하면 더 많은 이윤을 남길 것인가에만
관심을 갖고 생산에 매달리지.
₩

어쩌겠어….
그게 바로
자본주의의
속성인걸.

자본가들이 서로 긴밀하게 협조해서 생산량을 조절하고 생산의 균형을 맞추는
일은 뒷전으로 하고,
영차
영차
영차

그저 자신의 이윤을 더 많이 챙길 목적으로 무조건
노동 생산성을 높이는 일에만 경쟁적으로 매달리거나,

이윤 추구를 위해 생산량을 늘리는 일에만 급급한다면
과연 그 결과는 어떻게 될까?
훌러 덩~

전체 사회의 생산 균형과 안정을 고려해 생산량이 어느 정도 필요한지, 생산량을 어느 정도 줄여야 하는지 아랑곳하지 않고
생산량 조절
이윤

이윤을 얻기 위한 경쟁에만 매달리다 보면 브레이크가 고장 난 자동차를 타고 앞으로만 질주하다가
부아앙

엄청난 사고를 당하는 것과 같은 결과를 낳게 되지.
콰~앙

풍선의 크기는 고려하지 않고 계속 바람을 집어넣으면
더 더
좀 더~

나중에 어떻게 될지 상상이 가지? 자, 그럼 맹목적인 경쟁이 어떤 결과를 초래하는지 살펴볼까?
퍼~엉

새로운 기계와 설비를 들여와 노동 생산성이 높아지면 기계가 노동자를 대신하기 때문에
위이잉
내 일인데….

필요 없어진 노동자들은 공장에서 쫓겨나 상대적 과잉 인구(실업자)가 될 거야.

그런데 이들의 주머니는 텅 비어 있으니 아무리 시장에 상품이 넘쳐나도 상품을 소비하지 못해.
그림의 떡.

그런데도 공장에서는 노동 생산성이 높아졌기 때문에 생산량이 늘어나 상품이 쏟아져 나오지.

팔리지 않은 상품은 창고에 그대로 재고로 쌓이게 되고.

그 뒤엔 어떤 일들이 기다리고 있을까? 먹구름이 가득한 하늘처럼 뭔가 불길한 기운이 느껴지지 않니?

마르크스는 자본가들의 치열한
생산성 경쟁이 생산의
과잉을 초래해
실업자가 쏟아지고,
콸 콸~
콸 콸~

생산력은 높은 데 비해 소비 능력은
낮은, 생산력 · 소비력의 불균형 현상이
나타나는 것을
생산력
소비력

자본주의 생산의 '모순'이라고
했어.
자본주의

창고마다 팔리지 않은 상품이 가득 쌓여 공장
가동이 중단되고 급기야 문을 닫으면
기우뚱~

관련된 공장들도 하나둘 무너져 연쇄 부도로
이어질 거야.
좌르르~

이러한 연쇄 부도는 산업 전반은 물론, 금융 산업에까지
도미노처럼 번져나가
산업
금융
좌르르르

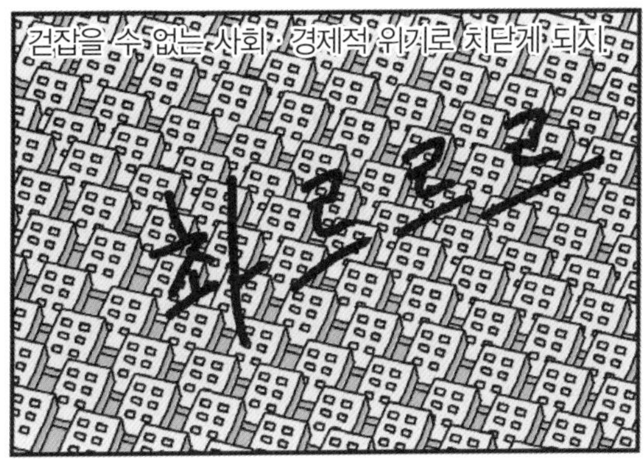
걷잡을 수 없는 사회 · 경제적 위기로 치닫게 되지.
좌르르르

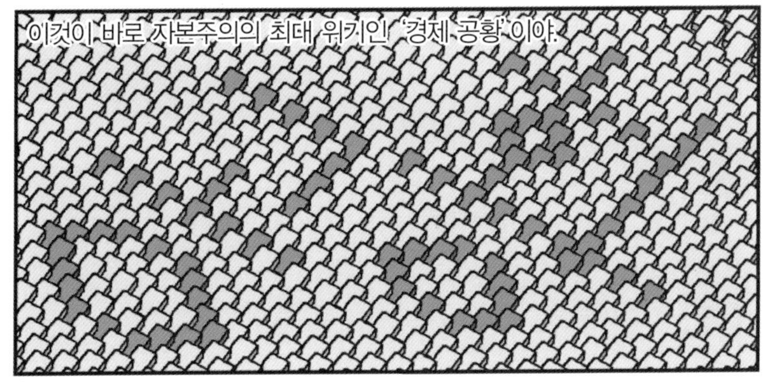
이것이 바로 자본주의의 최대 위기인 '경제 공황'이야.

이윤을 향한
과도한 생산성
경쟁이 빚어내는
자본주의 경제의
피할 수 없는
비극이지.

왜 피할 수 없는 거예요?

물론 쌓여 있는 상품을 헐값에 처분해 적게나마 자본을 회수할 수도 있겠지.
회사가 망했어요
대할인
100원
100원

그러면 다시 생산 수단과 노동력을 구입해 새롭게 생산을 시작할 수도 있을 거야.

그렇게 조금씩 회복되어 경제 전체가 다시 호황을 누리게 되면 공황과 같은 위기가 다시는 안 일어날까?
활~활~

대답은 '그렇지 않다'야.
휘이이잉

이윤을 향한 자본가들의 욕망은 언제든 다시 무한 경쟁을 낳을 거고,
부아앙

과도한 경쟁은 과잉 생산을 초래해 또 다시 위기가 시작된다는 것이 마르크스의 날카로운 분석이야.
쾅

자본주의 생산이 개별 자본가들의 협조와 연대가 필요한 사회적인 성격을 지녔음에도 불구하고

자본가들이 이윤을 향한 무한 이기주의를 버리지 않기 때문에 자본주의 생산의 모순은 사라지지 않는다는 거지.
내 거.
나만 잘 살면 돼.
이윤
이윤

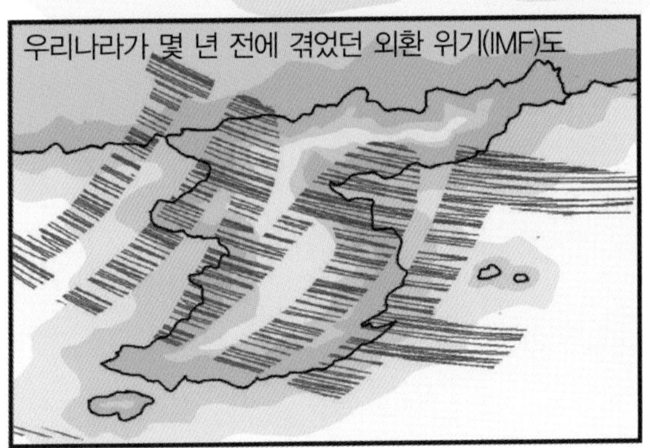

《자본론》을 통해서 진정으로 하고 싶었던 이야기일 거야.

자본론 Ⅰ
자본론 Ⅱ
자본론 Ⅲ

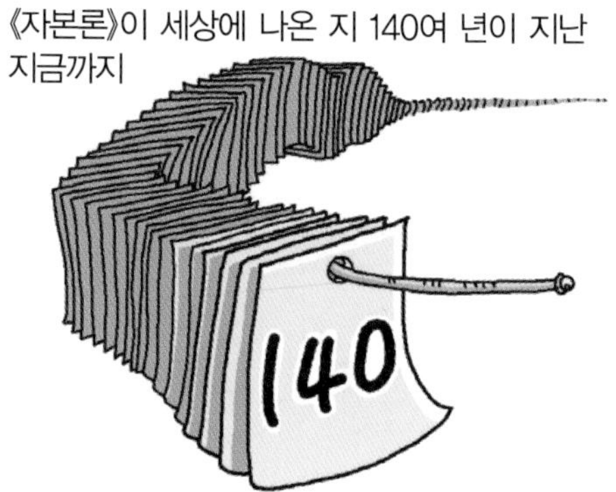

*무용지물 – 쓸모없는 물건이나 사람.

마르크스가 경제 위기를 돌파하면서 변화하고 발전하는 자본주의의
새로운 전략을

예측하는 데에 실패했다고
봐야지.
저…
저렇게
강할 줄이야.

하지만 그와 같은 자본주의의
생존 전략은 마르크스와 엥겔스 사후에
나타난 것이기 때문에
TV, 컴퓨터,
우주선, 휴대폰,
우리 때는
그런 거
없었어!

《자본론》에 담기지 못했음을
고려해야 할 거야.
자본론
미래의
상황까지
담지는
못했어.

물론 《자본론》의 가치를
마르크스의 분석이 맞았는지,
틀렸는지에서 찾을 수도 있지만

그보다 마르크스와 엥겔스가 《자본론》을 쓴 이유가
무엇인지에서 찾아야 한다고 봐.
what?

19세기 당시 노동자들을 가난과 굶주림에 시달리게
만들었던 원인을 치밀하게 분석하고 그런 현실을
바꿀 대안, 즉
앙~,
배고파!

공산주의 세상을 세우고자
《자본론》을 썼다는 거지.
공산주의

그런 열정이 《자본론》을 탄생시킨
거고.
자본론

이것이 바로 옳고
그름을 따지기 이전에
우리가 제일 먼저
주목해야 할
《자본론》의
가치란다.

《자본론》의 옳고 그름을 따지는 논란 속에서도, 자본주의가 작동하는 원리와 자본주의의 문제점을
자본주의의 원리

《자본론》만큼 과학적으로 치밀하게 분석한 책은 없다는 데에는 많은 사람들이 동의한단다.
과학적이야.
치밀해.

그래서 오늘날까지도 《자본론》을 인류 역사 천 년 동안 가장 큰 영향을 끼친 책으로 평가하는 거지.
자본론

자본주의를 향한 마르크스의 감시의 눈초리와,
자본주의에 대한 마르크스의 경고는 계속 힘을 발휘할 거라고
믿는 사람들이 많이 있단다. 그래서 《자본론》이 '인류의 고전'이라는 목록에
당당히 그 이름을 올린 거라고 믿어.

자본주의의 고도화

마르크스의 예측대로 대공황을 겪었지만 자본주의는 붕괴되지 않았습니다. 위기를 맞을 때마다 변화하고 발전해 갔기 때문이지요. 그럼 과연 자본주의는 어떻게 변화, 발전하여 오늘날 가장 영향력 있는 경제, 사회 제도로 자리 잡은 것일까요?

수정 자본주의

자유방임주의 정책의 실패로 세계 대공황을 겪은 미국과 영국 등 선진국들은 케인스(J. M. Keynes, 1883~1946)의 경제 이론을 도입해 위기 탈출을 시도했습니다. 케인스의 처방은 한마디로 말해서 사회주의 경제 정책을 도입하라는 것이었습니다. 정부가 공공사업을 실시해 일자리를 만들면 소비가 증가해 기업들의 투자가 다시 살아나고, 그에 따라 경제도 회복될 거라는 전망이었지요. 또한 케인스는 정부가 물가를 안정시키고 누진과세와 사회 보장 제도를 확대해 소득 불평등을 해소하는 일을 강하게 추진해야 한다고 주장했습니다.

▲ 미국의 제32대 대통령인 프랭클린 델러노 루스벨트

실제로 대공황 당시 미국의 루스벨트 정부는 케인스의 경제 이론을 토대로 테네시 강 유역의 대규모 다목적댐 공사를 벌이는 '뉴딜 정책(New Deal Policy)'을 실시했습니다. 그 결과 상당한 경제 회복 효과를 거두었지요.

신자유주의

50여 년 동안 계속되던 케인스의 수정 자본주의 시대는 1970년대부터 두 차례 오일 쇼크를 겪으며 1980년대에 이르러 세계 경제를 다시 심각한 경제 침체에 빠뜨렸습니다. 케인스식 수정 자본주의 정책이 경제를 장기 침체에 빠뜨리자, 국가의 시장 개입을 반대하며 자유 경쟁 원리를 도입해 국가와 개인의 경쟁력을 강화해야 한다는 이론이 등장했지요. 그것이 바로 신자유주의입니다.

신자유주의는 정부가 경제 규제와 통제를 풀고 개인의 재산권을 철저히 보장해 주며 모든 것을 시장의 원리에 맡기면, 경쟁력이 되살아나 경제 위기를 극복할 수 있다고 주장합니다. 뿐만 아니라 국가 간의 자유 무역과 국제 분업을 위해 시장 개방을 추진해야 하며, 금융 시장을 개방해 세계화와 자유화를 실현해야 한다고 강조하지요.

그러나 1980년대부터 오늘날까지 미국, 영국, 우리나라 등에서 추진되고 있는 신자유주의 정책은 국가가 해야 할 경제 관리, 감독 기능을 마비시켜 버렸습니다. 최근 세계 금융 위기와 경제 불황으로 인해 기업 도산, 물가 상승, 실업 증가, 빈부 격차 심화 등 자본주의 경제 위기가 또다시 야기됨에 따라 이 정책에 대해 전 세계적으로 비난 여론이 거세게 일고 있지요.

다시 케인스 시대로

작은 정부와 규제 완화를 외치던 신자유주의가 세계 금융 위기를 맞아 또다시 문제점을 드러내면서 케인스의 경제 이론이 다시 부활하고 있습니다. 미국을 비롯한 자본주의 국가들은 '케인스 시대'로 돌아갈 것을 선언하고, 정부가 경제 활동에 적극 개입해 위기를 극복하겠다는 의지를 표명하고 있지요.

▲ 존 메이너드 케인스(오른쪽)

한눈에 보는
《자본론》 핵심 키워드

《자본론》 1권

구체적인 노동과 추상적인 노동(노동의 이중성)

상품의 사용 가치를 만드는 질적인 차이를 지닌 노동을 '구체적인 노동', 상품의 교환 가치를 만드는 양적인 차이를 지닌 노동을 '추상적인 노동'이라고 한다. 상품에 사용 가치와 교환 가치라는 이중 가치가 있는 것처럼, 상품의 '가치'를 만드는 노동 역시 두 가지 성질을 나타낸다.

노동과 노동력

노동이란 인간이 자연을 변화시켜 생활에 필요한 물자를 얻는 행위이고, 노동력은 노동할 수 있는 능력을 말한다. 마르크스는 자본가가 노동자의 '노동력'을 임금을 주고 구입하여 '노동'을 시켜 상품을 생산한다고 주장함으로써 '노동'과 '노동력'을 구분했다.

노동 가치설

마르크스 정치 경제학의 핵심 원리로, 인간의 노동만이 상품의 가치를 창출하고 이윤을 발생시키는 유일한 원천이라는 것이다.

노동 생산성

동일한 노동 시간이나 노동력을 투입해 얻는 생산량의 비율을 말한다. 새로운 기계와 설비, 기술을 도입함으로써 동일한 노동 시간, 동일한 노동력에서 더 많은 생산량을 얻는 것을 '노동 생산성을 높인다'고 한다.

노동자 착취

자본가가 노동자에게 임금에 해당하는 필요 노동 시간 외의 잉여 노동을 강요해 잉여 가치를 생산하게 한 뒤, 그 잉여 가치를 노동자와 분배하지 않고 자본가 자신이 차지하는 것을 말한다.

단순 재생산과 확대 재생산

자본가가 잉여 가치를 모두 써 버리고 생산을 반복할 때마다 동일한 크기의 자본을 투자해 동일한 잉여 가치를 생산하는 것을 '단순 재생산' 이라고 한다. 그런가 하면 잉여 가치의 일부를 자본으로 축적한 뒤, 생산을 반복할 때마다 더 확대된 자본을 투자해 더 많은 잉여 가치를 생산하는 것을 '확대 재생산' 이라고 한다.

불변 자본과 가변 자본(不變資本: constant capital / 可變資本: variable capital)

원료, 연료, 건물, 설비, 기계 같이 생산 과정에서 투자한 가치만큼만 상품에 옮겨지는 자본을 '불변 자본' 이라고 한다. 그런가 하면 노동자의 노동력과 같이 생산 과정에서 투자한 가치를 훨씬 넘어서는 '잉여 가치' 를 창출해 내는 자본을 '가변 자본' 이라고 한다.

사회적 평균 노동 시간

상품의 가치(가격)는 상품을 생산하는 데 들어간 노동 시간에 따라 결정된다. 그런데 상품을 만드는 모든 개별 노동자들의 노동 시간을 일일이 확인해 평균을 내는 것은 사실상 불가능하므로 그 상품을 만드는 데 필요하다고 사회적으로 합의한 노동 시간을 정한다. 그것을 사회적 평균 노동 시간이라고 한다.

사용 가치와 교환 가치(상품의 이중성)

'사용 가치' 는 상품 자체의 쓸모를 뜻하고, '교환 가치' 는 상품 교환의 기준이 되는 가치 즉 가격으로서의 가치를 뜻한다. 상품이 지닌 이 두 가지 가치를 '상품의 이중성' 이라고 한다.

상대적 과잉 인구(산업예비군, 실업자)

새로운 기계와 설비 도입, 생산 기술의 발달로 인해 자본의 유기적 구성이 고도화됨으로써 일자리를 잃거나 구하지 못하는 실업자들을 '상대적 과잉 인구' 라고 한다. '산업예비군' 이라고도 부른다.

상품 (商品, Commodity)

인간이 노동을 통해 만든 생산물 중에서 인간의 욕망과 필요를 충족시키기 위해 교환되는 성질을 지닌 물건이다.

상품의 가치

다른 상품이나 화폐와 교환되기 위해 필요한 상품의 가격을 말한다. 줄여서 ‘가치’ 라고도 하며, 상품의 가치가 화폐량에 의해 측정된 것을 상품의 ‘가격’ 이라고 한다.

상품의 교환 과정

생산자(공급자)와 구매자(소비자) 사이에 ‘화폐’ 라는 매개물을 통해 상품을 거래하는 과정을 말한다. 이 과정에서 상품의 ‘교환 가치’ 는 ‘화폐’ 를 매개로 ‘가격’ 으로 표현된다.

생산 과정과 유통 과정

자본가가 자본(Money)을 투자해 생산 수단과 노동력이라는 상품(Commodity)을 구입한 뒤, 노동자의 노동을 통해 상품(C')이 생산되는 과정을 ‘생산 과정(Production)’ 이라고 한다.

그리고 생산된 상품(C')이 판매되어 상품 속의 잉여 가치가 자본으로 회수되는 과정을 ‘유통 과정’ 이라고 한다. 자본가는 생산 과정과 유통 과정을 거쳐야만 생산에 투자한 자본(M)보다 더 증가된 자본(M')을 회수할 수 있다.

생산 수단

생산하는 데 필요한 원료나 도구, 기계, 설비 등을 말한다. 자본가는 이 생산 수단과 노동자의 노동력을 ‘자본’ 으로 구입해 생산 활동을 수행함으로써 상품을 생산한다.

시간급과 성과급

노동 시간에 따라 지급되는 임금을 ‘시간급’ 이라 하고, 생산된 노동량에 따라 지급되는 임금을 ‘성과급’ 이라고 한다. 성과급은 동일한 시간에 더 많이 생산한 노동자가 더 많은 임금을 받는 것처럼 착각하게 만들어 노동자 사이에 자발적인 경쟁을 유발시킨다. 그래서 자본가는 잉여 가치를 얻기 위해 성과급 임금 제도를 적극 활용한다.

임금
노동자가 '노동력'을 자본가에게 판매한 대가를 말한다. 자본가는 노동자가 노동을 통해 실제로 생산한 모든 가치를 임금으로 지불하는 것이 아니라 '노동력'에 대한 가치만을 임금으로 지급하고, 잉여 노동으로 생산된 가치는 자신이 독차지해 버린다. 그런데 자본가는 노동이 끝난 후에 임금을 지불하기 때문에, 임금이 마치 노동자의 '노동'에 대한 대가로 지불되는 것인 양 착각을 일으킨다는 것이 마르크스의 주장이다.

잉여 가치(剩餘價値, surplus value)
노동자가 임금에 해당하는 필요 노동 시간을 초과한 잉여 노동으로 생산한 가치를 말한다.

잉여 가치율(자본가의 노동 착취율)
노동자들의 임금인 가변 자본(필요 노동 시간)으로 잉여 가치(잉여 노동 시간)를 나눈 값(잉여 가치/가변 자본×100)이다. 노동자의 노동을 상품의 가치를 만들어 내는 원천이라고 보는 노동 가치설에 근거한다. 마르크스는 잉여 가치율을 자본가가 노동자를 어느 정도 착취하고 있는지 가늠할 수 있게 하는, 자본가의 착취율을 반영한 지표라고 보았다.

자본(Capital)
잉여 가치를 얻기 위해 자본가가 생산 과정에 투자한 화폐로, 일반 화폐와 구별하여 '자본'이라고 한다. 자본은 '화폐를 낳는 화폐' 또는 '돈을 버는 돈'이라는 의미를 담고 있다.

자본의 축적
생산된 잉여 가치의 일부를 재생산 과정에 다시 투자해 처음보다 더 증가된 자본으로 생산의 규모를 늘리는 일을 말한다. 즉 잉여 가치가 자본으로 변신하는 것이다.

자본의 유기적 구성의 고도화
자본의 유기적 구성이란 자본가가 생산을 위해 투자한 총 자본 중에서 생산 수단에 투자한 불변 자본과 노동력을 구매하기 위해 투자한 가변 자본의 구성 비율이 어떠한지를 가리키는 말이다. 이때 불변 자본에 대한 자본 비율보다 노동력에 대한 자본 비율이 점점 감소하는 것을 '자본의 유기적 구성이 고도화한다'고 말한다.

노동력에 대한 투자가 줄어들면 생산 현장에서 불필요해진 노동자들은 해고되어 실업자가 되고, 자본가들은 더욱더 싼 임금으로 노동자들을 고용할 수 있게 된다. 즉 '자본의 유기적 구성이 고도화' 할수록 실업자는 점점 더 늘어나게 된다.

절대적 잉여 가치와 상대적 잉여 가치

잉여 가치를 얻기 위해 노동자를 착취하는 방법이다. 노동 시간을 연장해 잉여 가치의 절대량을 늘리는 방법을 '절대적 잉여 가치' 의 생산이라고 한다. 노동 생산성을 높임으로써 필요 노동 시간을 줄여 상대적으로 잉여 노동 시간을 늘리는 방법을 '상대적 잉여 가치' 의 생산이라고 한다.

특별 잉여 가치

노동 생산성을 높여 동일한 노동 시간, 동일한 노동력으로 상품을 더 싸게, 더 많이 생산해 냄으로써 사회적 평균 가격과의 차이만큼 더 벌어들이는 잉여 가치를 말한다.

화폐(Money)

상품의 '교환 가치' 와 똑같은 가치를 가진 것으로, 눈에 보이지 않는 상품의 '가치' 를 표시해 주는 역할을 한다. 다시 말해서 상품의 교환을 매개하는 기능을 한다.

화폐의 기능

상품의 가치를 나타내는 가치 척도의 기능, 상품의 교환을 매개하는 유통 수단의 기능, 원하는 시기에 원하는 상품을 언제든 구매할 수 있도록 하는 축장(모아서 감추거나 거두어 둠)의 기능, 상품을 먼저 받고 상품의 가치를 후에 지불하는 외상 · 신용 거래의 기능, 국가 간에 거래할 수 있게 하는 세계 화폐의 기능 등이 있다.

화폐의 물신성(物神性)

화폐는 교환 과정에 사용하기 위해 눈에 보이지 않는 상품의 가치를 눈에 보이는 형태로 나타낸 수단이다. 그러나 현실에서는 화폐 자체를 상품을 살 수 있는 능력을 지닌 것으로 인식해 돈이면 무슨 일이든 다 할 수 있다고 생각하는 현상이 나타난다. 이것을 화폐의 물신성 또는 황금 만능주의라고 한다.

고정 자본
자본을 한번 투자하면 생산을 반복할 때마다 다시 투자할 필요가 없는 생산 설비나 기계 같은 불변 자본을 뜻한다.

개별 자본
어떤 간섭도 받지 않고 독립적으로 순환 운동을 하는 개개 자본을 말한다.

사회적 총자본
개별 자본의 총량, 즉 긴밀한 관련을 맺으며 결합해 자본주의라는 거대한 구조를 만들어 내는 개별 자본의 총량을 가리키는 말이다.

산업 자본
자본가가 생산 과정에 처음 투자한 자본처럼 '화폐 자본 → 상품 자본 → 화폐 자본'으로 변신하면서 잉여 가치가 더해진 더 큰 자본을 만들어 내는 자본이다.

유동 자본
원료나 연료, 노동자의 노동력 등은 한 차례 상품을 생산하고 나면 다시 구입해야 한다. 이처럼 생산을 반복할 때마다 다시 자본을 투자해야 하는 불변 자본과 가변 자본을 유동 자본이라고 한다.

자본의 순환 과정
자본가가 자본(화폐 M)으로 생산 수단과 노동력이라는 상품(C)을 구입하여 생산 과정(P)을 거친 뒤 상품(C')을 생산하는 생산 과정과, 생산된 상품(C')을 판매하여 다시 화폐(M')를 얻는 유통 과정을 합한 것을 말한다. 자본의 순환 과정은 자본가에게 처음 투자한 자본보다 더 많은 돈을 벌어다 주는 과정이기도 하다.

자본의 회전 운동
잉여 가치를 자본으로 회수하는 과정인 자본의 순환이 계속 반복되는 것을 말한다. 자본이 회전한다는 것은 처음 투자한 화폐가 더 불어나서 증가한 화폐로 자본가의 손에 다시 회수된다는 뜻이다.

자본의 회전 기간

자본이 순환 과정을 거쳐 투자한 자본을 다시 회수하는 회전 운동에 걸리는 기간을 말한다.

화폐 자본과 상품 자본

자본의 순환 과정에서 처음에 자본가가 생산 수단이나 노동력을 구매하기 위해 투자한 자본과, 생산된 상품을 판매해 다시 화폐로 회수하는 자본을 각각 '화폐 자본'이라고 한다. 이때 생산 과정을 통해 생겨난 잉여 가치가 포함되어 생산된 상품을 '상품 자본'이라고 한다.

《자본론》 3권

공황(恐慌, crisis)

마르크스는 자본주의 생산에 숨어 있던 근본적 모순이 폭발해 자본주의 체제가 심각하게 동요되고 파탄에 이름으로써 자본주의 경제가 위기에 봉착한다고 보았다. 이러한 경제 위기를 공황이라고 한다. 이윤을 얻으려는 자본가들의 무한 경쟁이 과잉 생산을 가져오고, 과잉 생산된 상품은 판매 부진으로 기업에 부도와 도산을 초래하며, 금융과 신용 거래를 무너뜨린다. 그와 더불어 실업자가 대량 발생해 시장의 모든 균형이 파괴되는 위기, 즉 공황이 온다는 것이다. 마르크스는 공황을 자본주의 경제에서만 나타나는 특유의 경제 현상으로 보았다.

대부 자본

화폐 자본이 하나의 상품처럼 필요한 사람에게 대부되고, 그 대신 얻는 이자를 이윤으로 벌어들이는 자본을 말한다. 대표적인 대부 자본이 은행 자본이다. 대부 자본은 산업이 발달할수록 그 중요도가 높아진다.

상업 자본

상품의 매매, 상품의 유통 과정에 사용되는 자본, 즉 상업 이윤을 얻기 위해 유통 과정에 종사하는 자본을 말한다. 산업 자본 순환의 한 과정이었던 상품 자본 중 유통 과정이 독립하여 상업 자본을 형성한다.

사회적 총자본의 운동

개별 자본의 총량인 사회적 총자본은 개별 자본처럼 가치를 생산하는 사회적 생산 활동을 통해 자본주의적 생산 관계를 계속 재생산한다. 사회적 총자본으로 이루어지는 사회적 생산은 크게 생산 수단을 생산하는 '생산1부분' 과 노동자와 자본가에게 필요한 생활 필수품, 즉 소비 수단을 생산하는 '생산2부분' 으로 이루어진다. 사회적 생산의 1부분과 2부분은 서로 영향을 주고받으며 사회적 총자본을 재생산한다.

이윤과 이윤율

생산 과정에 들어간 총자본이 생산해 낸 잉여 가치를 이윤이라 하고, 총자본에 대한 이윤의 비율을 이윤율이라고 한다. 마르크스에 따르면 자본가는 이윤의 원천이 노동자의 노동이라는 사실에는 관심이 없고, 총자본이 어느 정도의 잉여 가치를 생산해 내는지, 즉 이윤과 이윤율이 어느 정도인지에만 관심을 보인다고 한다.

이윤율 저하 경향

자본가들이 노동 생산성을 향상시키기 위해 불변 자본에 대한 투자를 늘릴수록, 가변 자본에 투자된 자본보다 불변 자본에 투자된 자본이 증가해 자본의 유기적 구성이 높아지는데, 그럴수록 이윤율은 점점 낮아지는 모순이 벌어진다. 이런 경향을 '이윤율 저하 경향' 이라고 한다. 불변 자본에 대한 투자를 늘리는 것은 더 높은 이윤율을 얻기 위해서인데, 이런 투자가 증가함에 따라 이윤율은 더 낮아지는 반대 결과가 초래된다.

불황(不況, depression)

호황(好況)의 반대말로 흔히 '불경기' 라고도 한다. 자본주의 경제에서 수요 부족으로 생산된 상품이 소비되지 않아 생산 활동과 소비 활동이 모두 침체되는 상태를 말한다. 불황이 되면 투자와 소비가 감소하고, 실업자가 증가해 임금과 물가가 하락하며, 기업 이윤이 줄어드는 현상이 나타난다.

평균 이윤율

개별 자본은 항상 이윤율이 높은 곳을 향해 같은 산업 분야 내에서 혹은 한 산업 분야에서 다른 산업 분야로 이동하는 속성을 가지고 있다. 따라서 사회적 총자본의 이윤율은 개별 자본의 이윤율 증가와 감소가 서로 상쇄되어 사회적으로 보면 평균을 이루는데, 이것을 '평균 이윤율' 이라고 한다.

마르크스 자본론

최성희 글 | 손영목 그림

01 《자본론》을 쓴 사람은 누구일까요?

① 애덤 스미스 ② 존 케인즈 ③ 칼 마르크스
④ 데이비드 리카도 ⑤ 알프레드 마셜

02 《자본론》은 영국의 산업혁명으로 등장한 ( ) 경제가 어떤 원리에 의해 움직이고 문제점은 무엇인가를 경제학적으로 분석한 책입니다. 괄호에 들어갈 말은 무엇일까요?

① 공산주의 ② 자본주의 ③ 사회주의
④ 민주주의 ⑤ 전체주의

03 《자본론》 탄생의 기초가 된 사상으로 세상의 모든 것들은 끊임없이 새로운 단계로 변화하고 발전해 간다는 독일의 철학자 헤겔의 철학 사상을 무엇이라고 할까요?

① 변증법 ② 유물론 ③ 관념론
④ 유심론 ⑤ 경험론

04 다음 설명에서 말하는 '이것'은 무엇일까요?

《자본론》은 '이것'에 대한 분석으로 시작된다. 이것은 인간이 노동을 통해 만든 물건으로 인간의 욕망과 필요를 충족시켜 준다. 자본주의는 이것을 생산하고, 판매하고, 소비하는 사회라고 할 수 있다.

---

05 인간의 노동만이 상품의 가치를 만드는 유일한 원천이라는 주장을 무엇이라고 할까요?

① 효용가치론 ② 노동가치론 ③ 잉여가치론
④ 객관적 가치론 ⑤ 주관적 가치론

06 《자본론》에 나오는 내용과 관련이 없는 것은 무엇일까요?

① 노동자는 노동력을 자본가에게 임금을 받고 상품처럼 팔아서 생활하는 사람들이다.
② 상품은 사용가치와 교환가치를 가진다.
③ 노동자는 임금에 해당하는 필요노동시간만큼만 노동을 한다.
④ 자본가가 생산을 위해 투자하는 자본에는 불변자본과 가변자본이 있다.
⑤ 자본가는 임금을 주고 노동자의 노동력을 구입하여 노동을 시키고 이윤을 벌어들인다.

06 ③ : 마르크스는 노동자는 임금에 해당하는 필요노동시간 이외에 잉여노동시간을 강요당하고 이 잉여노동시간 동안 생산해 낸 모든 잉여가치를 자본가에게 착취당한다고 주장합니다.

07 잉여가치 / 08 화폐 / 09 예비군

10 ① 자본가가 생산을 위해 투자하는 전체 자본 중에 새로운 기계 도입이나 신기술 개발을 위해 투자되는 자본(불변자본)의 비율이 노동자들을 고용하기 위해 지출되는 자본(가변자본)의 비율보다 높아져 생산량이 갈수록 증대하는 것을 말합니다. ② 자본가가 생산을 위해 가변자본에 대한 투자보다 불변자본에 대한 투자를 갈수록 높이는 것입니다.

07 노동자가 임금에 해당하는 필요노동시간 이외에 강요당한 잉여노동시간 동안 생산한 가치를 무엇이라고 부를까요?

---

08 다음에서 공통으로 설명하는 것은 무엇일까요?

- 눈에 보이지 않는 상품의 교환가치를 표시하는 수단
- 상품의 가치를 비추는 거울 혹은 그림자
- 시장에서 상품의 교환을 매개하는 역할을 하는 것

---

09 다음 글의 빈 칸에 들어갈 알맞은 말은 무엇일까요?

새로운 기계가 도입되고 생산 기술이 발달하여 일자리를 잃거나 구하지 못하고 거리로 쫓겨난 실업자들을 산업 ○○○이라고 부른다.

정답

01 ③ / 02 ②

03 ① : 사람, 자연, 사회, 역사 등 세상의 모든 것들은 정(正), 반(反), 합(合)의 3단계를 거쳐 대립과 갈등을 극복하고 변화 발전해 간다는 헤겔의 사상입니다.

04 상품 : 인간이 노동을 통해 만들어 낸 것으로 사용가치와 교환가치라는 두 가지 가치를 지닌 물건을 상품이라고 합니다.

05 ② : 상품의 가치가 노동자의 노동에 의해 만들어진다는 노동가치론과 인간이 상품을 소비하면서 얻는 주관적인 만족감인 효용에 의해 결정된다는 효용가치론이 경제학에서는 끊임없이 대립하고 있습니다.

10 '자본의 유기적 구성이 고도화된다.'는 말을 간단히 설명하세요.